Le monde
de **Lucrèce**

Le monde de Lucrèce 1

Anne Goscinny et Catel

*Mise en couleur
de Marie-Anne Didierjean*

Gallimard Jeunesse

À René Goscinny

Merci à Salomé, Simon, Line et Julie

La rédaction

À l'école primaire, la dernière année, on était les plus grands dans la cour. Mais en arrivant ce matin au collège, j'ai réalisé que mes copains et moi étions à nouveau les plus petits !

J'ai tout de suite été plongée dans le bain de ma nouvelle vie car le prof de français nous a accueillis comme ça :

– Les enfants, pour faire connaissance, je vous propose de m'écrire une rédaction dans laquelle vous me parlerez de vous, de votre famille et de tout ce que vous voulez.

Évidemment, ça change de ma maîtresse de CM2 ! Il est grand et plutôt barbu, avec une

chemise à carreaux et un jean délavé, et je me suis dit que, quand il ne s'intéressait pas au complément d'objet direct, il devait couper du bois frénétiquement.

Il est loufoque, le professeur de français! Mais il a de la chance parce que j'adore écrire. Alors je me suis lancée.

«Lorsqu'on me demande mon prénom, je réponds "Lulu". Mais en vrai, je m'appelle Lucrèce. Quand j'étais petite, j'en ai beaucoup voulu à mes parents pour ce drôle de prénom. Mais maintenant que je suis au collège, même si ça ne date que d'aujourd'hui, je suis plus mûre.

Je suis grande et brune. J'ai des fossettes qui me trahissent parce que, même si je grogne, on voit que le sourire n'est pas loin.

Je vis avec ma mère, avec Georges, mon beau-père, et Victor, mon demi-frère. Victor est beaucoup plus petit que moi. Il a encore un cartable et une maîtresse.

Nous avons une maison, pas très large mais assez haute.

Ma chambre est tout en haut, à côté de celle de mon frère. Nos parents sont en dessous. Au premier étage, ils se partagent un grand bureau qui sert aussi de chambre d'amis. Au rez-de-chaussée, il y a la cuisine et le salon. Nous avons même un petit jardin, ce qui me permettra de promener mon animal de compagnie le jour où j'en aurai un.

Georges, mon beau-père, est venu s'installer chez nous quand j'étais encore toute petite. Il est aiguilleur du ciel. Avant, je pensais que ça signifiait qu'il tricotait des nuages. Georges dit souvent que, quand il sera vieux, il fera poser un siège à moteur sur la rampe de l'escalier comme dans la publicité du programme télé. C'est là qu'en général Victor répond:

– T'inquiète, papa. T'en auras pas besoin, on te construira un abri dans le jardin!

Ma mère est avocate, elle défend des gens au tribunal et, après, elle va les voir en prison.

Elle ne fait pas souvent la cuisine. Mon frère lui reproche régulièrement de n'être pas assez comme les autres mères. Victor adore les normes. Il n'aime pas quand ça dépasse, et maman lui donne du fil à retordre.

Donc, pour la cuisine, quand il rentre plus tôt que maman, c'est Georges qui s'y colle. Je dois dire qu'il progresse.

Du côté de mon père, c'est plus compliqué. Lui, il ne s'est pas remarié et j'ai dénombré environ une quinzaine de fiancées en cinq ans. Ce qui nous fait une moyenne de trois par an. Heureusement qu'il ne les épouse pas à chaque fois, j'aurais une indigestion de pièces montées.

Ses amoureuses sont toutes beaucoup plus jeunes que lui. Si bien qu'un jour, elles et moi, nous aurons le même âge. Ce sera sympa, quand j'irai chez lui, d'avoir une copine sur place.

Il est artiste, sculpteur ou peintre, et je suis très fière de lui. De temps en temps, il expose ses œuvres mais il ne les vend pas parce qu'il

dit que son art n'est pas un vulgaire commerce. Maman explose toujours à ce moment-là en lui disant:

– Heureusement qu'il y a des dealers et des criminels pour habiller, nourrir et distraire ta fille!

Un week-end sur deux ou sur trois, je dois aller chez mon père. Mais en général, c'est plutôt lui qui vient chez nous. Georges et papa s'entendent très bien. Ma mère dit de son ancien mari qu'il a quinze ans d'âge mental. Moi, je dirais plutôt huit ans.

Tous les mois, mon père m'emmène rendre visite à sa mère. Elle est très âgée et très élégante. Elle s'appelle Hanna et mon père dit qu'elle tient au *H* de son prénom même s'il ne s'entend pas. Je ne la vois pas beaucoup parce qu'elle habite assez loin et qu'il faut pratiquement toute une journée pour aller lui rendre visite et revenir à la maison.

Elle perd un peu la mémoire et elle ne nous reconnaît pas toujours.

Quand nous arrivons, mon père l'embrasse. Elle lui tend la main, et lui dit : "Nous n'avons pas été présentés." Ou bien: "Ah! Papa! Il faut que tu signes mon carnet de notes!" Ou encore: "Ah! C'est vous, la licorne que j'ai croisée à l'hippodrome lorsque je déjeunais avec le président Coty?"

Elle a tout oublié, sauf les règles du bridge et une ou deux recettes à base de carpe et de chou.

Moi, je l'aime beaucoup. Elle me permet de changer de personnalité et de prénom douze fois par an parce qu'elle ne se souvient que des cinq dernières minutes écoulées.

Hier, Scarlett est venue dîner. Scarlett, c'est ma grand-mère maternelle et elle habite à côté de chez nous. Elle veut que je l'appelle Scarlett, mais son vrai prénom, c'est Arlette.

– Tu sais, ma chérie, c'est déjà très compliqué d'avoir quarante ans, j'aime autant ne pas en rajouter avec ce prénom vieillot.

Je ne lui ai pas dit que je gardais un très bon

souvenir de la fête pour ses soixante ans, même si j'étais petite et que c'était il y a très long-temps. Elle le prendrait mal.

En ce moment, elle a les cheveux bleus et blonds. Avant les vacances, elle s'est fait tatouer une quinzaine de caractères chinois sur le bras. Quand Victor lui a demandé ce que ça voulait dire, elle a fermé les yeux et a répondu :

– Gérard. Ça veut dire Gérard.

Juste avant d'ajouter :

– *Un seul être vous manque et tout est dépeuplé…*

Ça, c'est l'une des particularités de ma grand-mère : elle connaît des tas de proverbes et de phrases compliquées toutes faites. Parfois, je me demande si elle fait exprès de faire coïncider les proverbes avec sa vie ou si, au contraire, elle s'arrange pour mener une vie qui colle avec ses proverbes.

Hier soir, à table, pour faire l'inté-ressant, Victor a posé Casserole,

son lapin, sur la table. Maman a hurlé, Georges est resté calme en demandant qu'on respecte un peu le travailleur qui nous nourrit. Moi, j'ai traité mon frère de nain dégénéré.

Scarlett a simplement dit :

– C'est très décoratif, un lapin. Victor, pour mon prochain dîner, tu me le prêteras.

J'ai embrassé tout le monde, sauf Victor bien sûr, et je suis montée dans ma chambre. Je les aime bien tous, mais il faut qu'ils comprennent que je ne suis plus une enfant qui rigole quand on la chatouille. Je suis une a-do-les-cente. Quatre syllabes qui vont me coller à la peau pendant au moins cinq ans. Ma mère dit toujours que c'est l'âge ingrat. Victor ajoute que c'est aussi l'âge moche.

J'avais mis mon portable sur silencieux. Heureusement parce que les Lines m'ont appelée au moins trois fois chacune. Les Lines, ce sont Aline, Coline et Pauline, mes trois meilleures amies. Je ne parle pas plus d'elles ici parce que, sinon, ma rédaction serait trop longue tellement je les aime.

Georges et maman me racontent souvent que, quand ils avaient mon âge, il n'y avait qu'un seul téléphone pour toute la famille et qu'il était situé dans l'entrée.

Je fais quoi de cette famille de dinosaures, moi?

Demain, les parents de Georges viennent passer une semaine à la maison. Ils habitent en Loire-Atlantique, au bord de la mer. Mais pas de la vraie mer, de l'autre, celle qui est glacée. Ils sont très gentils et disent tout le temps qu'ils ne font pas de différence entre mon frère et moi, même si je ne suis pas leur vraie petite-fille. Moi, je trouve qu'ils devraient faire plus de différence entre nous et moins dire qu'ils n'en font pas.

Nous allons souvent en vacances chez eux. Scarlett les regarde de haut et Victor fait sem-blant de jouer avec leurs cadeaux. Quel fayot celui-là! Moi je les aime bien parce que, quand ils sont là, tout est plus calme. Georges et maman partent plus tôt et rentrent plus tard, Scarlett reste chez elle, Victor abandonne sa console pour construire des ponts et des tours en Lego, et moi je lis tranquillement dans le jardin.

Maman dit souvent à Georges : "Le problème de tes parents, c'est qu'ils sont équilibrés."

Je ne suis pas toujours d'accord avec elle, mais là je dois dire qu'elle a raison…»

La sonnerie qui indiquait l'heure écoulée m'a fait brusquement sursauter.

Déjà ? Le prof est passé dans les rangs en souriant. Il a ramassé les copies. Ma voisine n'avait presque rien écrit.

Moi, j'aurais pu continuer encore longtemps, mais j'ai juste eu le temps de terminer ma rédaction par ces mots :

«Voici donc ce que je peux dire sur ma drôle de famille et sur ma vie en général.

Ah! j'allais oublier l'essentiel: plus tard, je veux être écrivain.

Je m'appelle Lucrèce et le monde m'émerveille.»

Ma rencontre avec Madonna

Aujourd'hui, c'est le grand jour.

Enfin, le grand jour, c'est vite dit ! Je vais avoir un animal de compagnie, mais pas exactement celui dont je rêvais.

Moi, je voulais un chien. Je le voyais petit et blanc, avec des oreilles toutes droites. Je voulais l'appeler Rhett Butler pour faire plaisir à Scarlett, ma grand-mère, qui a une passion pour un film très très long, *Autant en emporte le vent*. Rhett Butler, je lui aurais appris à m'écouter et même à m'obéir. «Ici, Rhett ! Donne la papatte, Rhett ! Couché, Rhett !»

On aurait été inséparables.

Maman n'a pas voulu. J'ai supplié, pleuré, boudé, repleuré, menacé, elle n'a pas cédé. C'est fou les adultes, ça ne vous fait jamais confiance.

– Lulu! Qui va sortir le chien en hiver, sous la pluie et la nuit? C'est moi!

– Mais maman! Donne-moi ma chance!

Rien à faire. Alors j'ai tenté le chat. Lui aussi je lui avais trouvé un prénom, mais je ne m'en souviens plus.

– Maman, un chat c'est discret! Il ne faut pas le sortir, ça ronronne et il paraît que ça calme les gens stressés. Je suis sûre qu'il te ferait du bien, mon chat, et je te le prêterais souvent.

– Pas question, Lulu! Un chat ça met des poils partout, et puis quand on part en vacances, il faut trouver des solutions pour le caser. Non. Deux enfants, une mère, des beaux-parents, un mari et ton père, j'ai assez de sujets de préoccupation comme ça. N'insiste pas. Je suis déjà suffisamment fatiguée pour avoir envie de tous vous abandonner sur l'autoroute au mois d'août, alors n'en rajoute pas!

Je n'ai pas perdu mon temps à essayer de la

convaincre parce que la conversation a dévié sur le lapin de mon frère.

– Et puis on a déjà Casserole. Il est mignon, Casserole, avec ses grandes oreilles et ses petits yeux ronds.

– Oui, c'est vrai, j'ai répondu, je l'aime bien, Casserole, mais on n'a pas réussi à tisser de lien, lui et moi.

Alors, j'ai eu l'idée.

– Et une tortue ? Une toute petite tortue que je garderais dans ma chambre, que tu ne verrais pas ?

– Quoi? Une tortue? Et tu crois vraiment que je vais accepter de cohabiter avec un animal préhistorique?

– Pourquoi pas? a rétorqué Victor. Ça te rappellerait ton enfance, quand tu promenais ton dinosaure au square.

Maman a soupiré. Et moi j'ai regardé Victor en lui faisant des yeux les plus noirs possible. Ce n'est pas en rappelant à maman qu'elle n'est plus toute jeune qu'il va la mettre de bonne humeur.

– Bon! Victor, tu n'as pas un zombie à achever ou un squelette à ranimer?

– T'inquiète, Lulu! Tout le monde est mort et j'ai gagné deux vies.

Finalement, de bonnes résolutions en bonnes notes, j'ai obtenu ce que je voulais le plus au monde: un animal qui serait à moi et qui serait toujours content de me voir.

Et aujourd'hui, maman et moi allons chercher ma tortue.

J'avais repéré sur Internet un magasin spécialisé dans les serpents, les souris, les hamsters et les tortues. Nous nous sommes garées devant et sommes entrées dans ce qui ressemblait davantage à un entrepôt en préfabriqué qu'à une boutique.

– Je te préviens, Lulu, a dit maman en entrant, si un animal me touche, je hurle et je m'en vais.

«Pauvres bêtes», j'ai pensé.

C'était le paradis des serpents, des furets, des geckos et, globalement, de tout ce que les gens détestent. L'enseigne du magasin représentait un gigantesque boa dessiné avec des yeux de biche. Un dessin très réussi, vraiment, qui vous donnait presque envie d'adopter le boa-Bambi.

27

Évidemment, le téléphone de maman a sonné et on ne peut pas ne pas entendre sa sonnerie. Elle a décroché en me faisant signe d'avancer, qu'elle me suivait. L'endroit aurait été assez calme, ce ne sont pas des animaux qui crient, si maman n'avait pas parlé aussi fort.

– Écoutez, cher confrère, jusqu'ici j'ai été patiente. Mais je peux m'énerver. Oui, moi aussi je peux ralentir la procédure, moi aussi je peux…

– Maman !

Elle m'a regardée d'un drôle d'air, s'est éloignée et, sans s'en rendre compte, s'est retrouvée au milieu des rongeurs qui l'observaient en remuant leur museau. C'est gracieux, les rats.

En les découvrant, elle a poussé un cri et, à mon avis, le confrère en question a compris que ma mère, il ne fallait pas trop la contrarier.

J'en ai profité pour lui fausser compagnie et rejoindre enfin la zone des tortues.

Choisir un compagnon, ce n'est pas rien ! Dans une espèce d'aquarium, des dizaines de tortues somnolaient. Elles étaient toutes différentes.

L'une avait les écailles en losange, une autre était presque rousse, celle du fond avait sorti sa tête et allongeait son cou comme pour s'étirer. Comment reconnaître la mienne, celle que j'aimerais au moins autant que mon téléphone ? Je les regardais l'une après l'autre, les détaillais, essayant de déceler celle qui serait la plus équilibrée, la plus affectueuse, quand j'ai entendu un hurlement.

C'était maman, encore. Absorbée par son coup de fil, son portable dans une main, son agenda dans l'autre, elle s'était assise distraitement sur le rebord d'un vivarium. En découvrant trois serpents qui la contemplaient

en sortant leur petite langue fourchue derrière la paroi de verre, elle avait fait un bond, lâché son téléphone et son agenda.

Deux vendeurs se sont précipités.

– Ça va, madame ? Vous avez besoin d'aide ?

– Quelle horreur, ces bestioles !

– Eh bien, les animaux sauvages ne sont pas forcément les pires ! a marmonné le vendeur.

Un type a rigolé. Maman, vexée, a rassemblé ses affaires et s'est mise à m'appeler en gesticulant dans le magasin :

– Lulu ! Lulu ! Lucrèce !

– Je suis là, maman !

– Ça y est ? Tu as enfin choisi ton truc ? a-t-elle dit en me rejoignant.

Ma tortue, un *truc* ? J'ai préféré ne pas relever. Je l'ai prise par la main et l'ai traînée devant l'aquarium.

– J'hésite.

– Tu hésites entre une tortue et une tortue ? a demandé ma mère, visiblement à bout de nerfs.

Une vendeuse avec un tablier vert et un sourire gentil est arrivée.

– Alors, jeune fille, on fonce ?

– *Foncer*, a relevé maman, c'est le terme qui convient pour acheter une tortue.

L'air de rien, la vendeuse a retiré le couvercle et m'a dit :

– Prends-en une dans tes mains. N'aie pas peur.

– J'ai pas peur, je les veux toutes ! j'ai dit.

Maman, affalée au pied d'un palmier en plastique, a juste articulé :

– Pourquoi pas ? On peut aussi adopter deux ou trois serpents et quelques souris.

J'ai fait comme si je n'avais rien entendu, j'ai caressé les petites carapaces, et puis je l'ai vue, *elle*. L'élue.

Elle était seule dans un coin du bac et grignotait un trèfle. Les autres ne la regardaient même pas.

– C'est elle que je veux ! Elle a l'air tellement seule ! Je suis sûre qu'elle s'ennuie et qu'elle est triste.

– Oh ! Ben oui, a répondu maman en s'essuyant le front avec la feuille d'un faux bananier.

Tu as raison, choisis une asociale, elle mettra de l'ambiance à la maison.

C'est alors que ma tortue a bougé la tête. Je suis persuadée qu'elle me cherchait déjà du regard.

– Parfait, a dit la vendeuse en la glissant dans une petite boîte en plastique, un peu comme celles dans lesquelles on met les restes dans le frigo. Vous avez le nécessaire ?

– *Le nécessaire* ? a répété maman d'une voix rauque.

– Le terrarium, la lampe chauffante, les copeaux de bois, la piscine…

– Dites donc, c'est Madonna, votre bestiole! l'a interrompue maman. Il faut aussi prévoir une suite au Ritz et le *room service*?

Madonna! J'ai su tout de suite que ce prénom était fait pour elle! J'étais emballée.

La vendeuse nous a dirigées vers les rayons accessoires, comme si elle était soulagée de nous quitter là.

Dans sa boîte, Madonna ne semblait pas particulièrement perturbée mais elle sortait sa tête et la rentrait, la ressortait et la rentrait à nouveau. Elle me faisait comprendre qu'elle voulait me connaître, et peut-être même qu'elle m'aimait déjà. Nous avons acheté le strict nécessaire pour son bien-être mais, au moment de payer, maman a ronchonné en faisant une drôle de tête.

– Non mais, c'est vrai, l'équipement complet d'une tortue de quelques grammes ou le sac à main de mes rêves, moi, j'ai choisi!

Maman est allée chercher la voiture. Nous avons installé le palace de Madonna à l'arrière et j'ai gardé sur mes genoux le précieux bocal.

– Ne t'inquiète pas, Madonna, on sera bien toutes les deux!

Maman a allumé la radio.

– Baisse le son, j'ai dit, tu vas lui faire peur!

– Et tu crois qu'elle préfère écouter de la musique ou les infos? a ironisé maman.

– Je crois qu'elle préfère le silence, j'ai répondu.

Quand nous sommes arrivées à la maison toutes les trois, Victor jouait toujours sur sa console. Avec son air de premier de la classe, il faisait sauter des grenades, massacrant des zombies agressifs qui se relevaient systématiquement.

– Regarde, Victor ! Regarde ma tortue !

Victor lui a adressé un bref regard avant de dégommer sauvagement deux ou trois monstres.

– Ne me distrais pas quand je joue, Lulu !

Pour installer Madonna dans ma chambre, j'ai déballé le terrarium géant, branché la lampe, arrangé les copeaux de bois, mis de l'eau dans la piscine et disposé des feuilles de salade un peu partout. Puis je me suis assise par terre, je l'ai prise dans ma main pour commencer à l'apprivoiser et je lui ai fait visiter ses appartements.

– Ça va, Madonna ? Tu crois que tu aimeras ta nouvelle maison ?

Demain, j'organiserai les présentations avec Casserole, le lapin de Victor. C'est une sacrée responsabilité, l'éducation d'un animal.

Soudain, j'ai entendu la porte et le bruit d'un trousseau de clefs jeté sur la console de l'entrée. C'était Georges, mon beau-père. Il travaille beaucoup et il est souvent fatigué quand il rentre.

Pendant que maman faisait réchauffer la soupe au micro-ondes, Georges a ouvert une bouteille de vin et en a proposé un verre à maman. Victor et moi, on s'est assis à table et maman a servi le potage d'un air gourmand.

– Au fait, mon chéri, tu es au courant pour la tortue ?

– La tortue ? a fait Georges. Quelle excellente idée !

– Ah bon ? j'ai dit.

J'étais surprise parce qu'il n'aime pas particulièrement les animaux.

– Absolument, a-t-il répondu. C'est une idée très originale ! J'adore tout ce qui sort de l'ordinaire.

– Si tu savais le temps que ça nous a pris, a soupiré maman.

Et Georges, portant une cuillerée de soupe à sa bouche, a ajouté :

– C'est délicieux, ma chérie. Mais ton potage à la tortue n'a pas tellement le goût de tortue.

Ma mère a éclaté de rire.

Moi, j'ai préféré sortir de table sans un mot.

Les adultes sont décidément les plus cruels des animaux.

Le journal intime

Dimanche dernier, en rangeant les tiroirs de mon bureau, j'ai retrouvé un journal intime que maman m'avait offert quand j'étais petite, l'année dernière.

Sur la couverture, des papillons volent autour d'un petit chat qui essaye de les attraper. Mais surtout, ce qui me plaît, c'est le cadenas qui ferme le journal, avec une minuscule clef dorée que je n'ai même pas perdue.

C'est comme un cahier, mais avec cette couverture cartonnée, ça ressemble à un livre vide qu'il faudrait écrire.

Et moi, comme j'ai décidé que plus tard je serai écrivain, j'ai eu envie de commencer tout de suite.

Si Scarlett était là, elle me dirait: «Enfin, Lulu, on dit écrivaine, pas écrivain. Tu es une fille, oui ou non? Donc tu seras *écrivaine.*»

Scarlett, elle ne peut pas s'empêcher de se mêler de tout. Mais moi, je n'aime pas ce mot. Et de toute façon c'est moi qui décide.

Alors que j'étais assise en tailleur, adossée à mon lit, avec mon futur premier livre entre les mains, Victor est entré dans ma chambre.

– Lulu, je m'ennuie. Viens faire un jeu avec moi !

– Fiche-moi la paix, Victor, j'ai répondu. Je réfléchis à ce que je veux faire de ma vie.

– Moi, des vies, j'en ai gagné plein sur ma console. Je peux me permettre d'en gaspiller deux ou trois.

Heureusement, il est ressorti avant que je ne lui jette un truc à la figure.

J'ai ouvert le journal, j'ai sauté la première page pour tromper les regards indiscrets et, avec mon stylo, celui qui a de l'encre turquoise, j'ai écrit : « Je m'appelle Lucrèce. »

Puis j'ai rebouché le stylo et j'ai commencé à cogiter sérieusement.

Moi, quand je réfléchis, c'est toujours à quelque chose de précis. Par exemple, un problème de maths, un modèle de baskets ou le parfum de la glace que je vais choisir.

Mais réfléchir comme ça, sans sujet particulier, juste à ce que je vais bien pouvoir écrire dans mon journal intime, c'est très compliqué.

La sonnette a retenti en bas, trois coups brefs.

Et puis, la porte d'entrée a claqué. Ça, c'est Scarlett. On est dimanche et elle s'ennuie. Scarlett me fait penser à un enfant, ou à une adulte qui a oublié qu'elle a déjà été enfant et que ce n'est pas la peine de recommencer.

– Lulu? Chérie? Georges? Victor? Vous êtes là?

Du Scarlett tout craché! Elle appelle tout le monde en se disant qu'il y a bien quelqu'un qui va répondre. C'est un peu comme si elle secouait un pommier en espérant qu'une pomme tombera.

– Je suis dans ma chambre, Scarlett, monte!

Je connais par cœur le bruit de ses talons aiguilles.

Son fidèle renard autour du cou, elle était aussi élégante que si elle allait à l'opéra.

– Heureusement que tu es là, ma Lulu. Sans toi, je serais restée à la porte! a gémi ma grand-mère en déposant son renard sur mon lit.

– Scarlett, tu as tes clefs. Alors, même si la maison avait été vide, ça ne changeait pas grand-chose.

Elle s'est assise à mon bureau et a vu la petite clef dorée.

– Oh, Lulu ! Ta mère tenait un journal intime, elle aussi, quand elle avait ton âge.

– Ah bon ?

– Bien sûr ! Et tu sais quoi ? Elle écrivait drôlement bien !

– Parce que tu l'as lu ?

– Évidemment ! a dit Scarlett.

Et sans rien demander, elle s'est mise à feuilleter mon propre journal à moi.

Heureusement, il n'y avait rien dedans mais je le lui ai aussitôt arraché des mains.

– Arrête ça tout de suite, Scarlett ! j'ai dit, très énervée.

– À mon époque, on n'avait pas de secrets pour ses parents et tout le monde s'en portait très bien, a répliqué ma grand-mère.

– Mais Scarlett, qu'aurait dit maman si elle avait su que tu lisais son journal intime ?

– Rien ! Quand je le lui ai offert, elle a jeté le cadenas en me disant que, si elle écrivait quelque chose, c'était pour que ce soit lu, pas pour l'enfermer à clef.

Je n'ai pas eu le temps de lui dire que les secrets de maman, surtout quand elle avait mon âge, ne la regardaient pas, elle était déjà dans l'escalier, oubliant son renard que Madonna regardait d'un air méfiant.

Ma grand-mère est loufoque, ce n'est un secret pour personne. Je me suis réinstallée au pied de mon lit, toujours en tailleur, et j'ai recommencé à réfléchir.

C'est compliqué d'écrire, en fait. Ou bien je raconte ce que j'ai fait aujourd'hui et c'est moins intéressant que les romans que je dévore, ou bien j'invente une histoire complètement imaginaire, et ça, c'est très difficile. J'ai souvent essayé sur un cahier de brouillon et je n'ai jamais réussi à dépasser deux pages.

Finalement, à force de me concentrer, je me suis endormie. Ce sont les trois coups de sonnette de Scarlett et le bruit de ses talons sur le parquet qui m'ont réveillée.

– J'ai oublié Igor, elle a expliqué en entrant dans ma chambre. (Igor, c'est comme ça qu'elle appelle son renard.) Tu dormais, Lulu ? Et si tu me lisais ce que tu as écrit ? Je pourrais te donner des conseils !

– Scarlett! Ce que j'écris ne te regarde pas. Tu n'as qu'à t'en acheter un, de journal intime, comme ça tu reliras le soir tes secrets du matin !

Franchement, ma grand-mère exagère.

– Lulu ! Scarlett ! Vous êtes là ? a crié une voix en bas.

C'était maman.

Elle est entrée à son tour dans ma chambre et a aperçu le cahier que je serrais contre mon cœur.

– C'est celui que je t'ai offert l'année dernière ? Formidable ! Je suis si heureuse que tu tiennes un journal, ma Lulu. Tu peux tout raconter à ton journal intime, même tes secrets les plus secrets. Moi, j'en ai eu un quand j'étais petite. J'ai écrit dedans pendant au moins toute une année.

– Ah oui ? Et tu écrivais quoi ? j'ai demandé, intriguée.

– Des secrets, justement ! Mais j'étais tranquille, chez moi, personne ne l'aurait lu. N'est-ce pas, maman ?

Je voyais bien que Scarlett n'en menait pas

large. Elle avait remis son renard et faisait sem-
blant de s'intéresser à Madonna.

– Bon, je vais vous laisser, mes chéries. On
m'attend pour un gin-rami.

Quand Scarlett parle de gin-rami, Georges dit
toujours que le rami est en option. Je ne comprends pas bien ce qu'il veut dire, mais ça fait
beaucoup rire maman.

Scarlett a décampé. On entendait ses talons
qui claquaient plus vite que d'habitude dans
l'escalier.

Maman est restée un peu dans ma chambre.
J'aime bien ces moments-là. On discute de
tout et de rien, on s'observe, on se donne des
conseils... enfin, surtout moi.

–Tu ne devrais pas mettre ce pantalon, maman. Il te grossit.

–Tu crois?

Quand elle est sortie, j'ai repensé à Scarlett. Non seulement elle avait trahi maman mais, en plus, elle avait fait de moi sa complice en me le disant.

Fébrilement, j'ai rouvert mon journal et j'ai écrit: «J'ai le cafard. Je sais que ma grand-mère lisait le journal intime de ma mère à mon âge et j'aurais préféré ne pas le savoir.»

C'est tout. Je n'avais rien d'autre à écrire.

J'ai compris alors que, quand on veut inventer des histoires, ce n'est pas bien d'être encombré de choses qui vous dérangent. Il faut pouvoir se concentrer sur ses rêves et sur les mots qu'on a envie de mettre dessus.

J'ai pris soin de fermer le petit cadenas à clef et de ranger mon journal dans ma bibliothèque, entre mon cochon en crochet vert et rose que j'adore et le livre que je suis en train de lire.

Puis, pour me changer les idées, j'ai téléphoné à Aline. On est allées faire un tour à vélo. En rentrant à la maison, je me suis précipitée dans ma chambre pour m'assurer que personne n'avait touché à mon journal. J'ai relu ce que j'avais écrit et je n'ai rien ajouté. J'avais encore un peu le cafard.

Le dimanche, c'est Georges qui prépare le dîner. Le reste de la semaine aussi, mais c'est juste pour dépanner maman, pas parce qu'il l'a décidé.

Tous les dimanches aussi, Scarlett vient dîner. Le reste de la semaine, elle est là très souvent mais, à l'écouter, elle ne fait que passer.

– Ne vous dérangez pas pour moi, mes chéris, je passe en coup de vent !

Et Georges répond systématiquement :

– Scarlett, ce n'est plus un coup de vent, c'est le mistral qui s'installe.

D'habitude, j'aime bien que ma grand-mère soit là mais, ce soir-là, je lui lançais des regards

noirs. Je n'avais toujours pas digéré ce qu'elle m'avait raconté.

– Tu es contrariée, Lulu ?

– Mais pas du tout, Scarlett. Je ne vois pas pourquoi tu dis ça.

– Je ne sais pas, une intuition…

Maman s'est tournée vers Georges.

– Lucrèce écrit un journal. Tu ne trouves pas ça formidable ?

– Je veux être écrivain plus tard, j'ai affirmé fièrement.

– Écrivaine, ma chérie, écrivaine, a corrigé Scarlett.

Elle a parfois des obsessions qui me font rigoler.

Maman a repris :

– Moi aussi je tenais un journal quand j'étais petite. Quand j'écrivais, même si le monde s'écroulait, rien ne pouvait me distraire.

– C'est parce que l'électricité n'existait pas et que donc tu ne pouvais pas recharger ta tablette, a ricané Victor.

Maman a rétorqué qu'il ne fallait peut-être pas exagérer, elle avait moins de cent quarante ans, tout de même.

– Ce qui est bien avec ton journal à toi, Lulu, elle a ajouté, c'est qu'il ferme à clef. Et personne ne peut venir voir ce qui ne regarde que toi.

Maman dévisageait sa mère avec un drôle d'air en disant ça.

– Il n'avait pas de clef, ton journal à toi ? j'ai demandé à maman.

– Figure-toi que non. Quand Scarlett me l'a offert, elle avait perdu la clef. Heureusement que je lui faisais une confiance aveugle. Jamais elle n'aurait lu mes secrets.

– Ja-mais, a ponctué Scarlett en détachant les syllabes comme si l'une pouvait venir en aide à l'autre.

– De toute façon, a poursuivi maman, dans mon journal, je n'écrivais rien de très important. Les notes que j'avais obtenues, des appréciations sur mes professeurs… Tout tournait autour de l'école.

– Mais pas du tout, s'est exclamée Scarlett. Tu parlais déjà du métier d'avocat que tu voulais exercer !

– *Avocate*, Scarlett, *avocate*, j'ai rectifié en rigolant.

– Mais comment tu sais ça, maman ? s'est étonnée maman en fronçant les sourcils.

Scarlett a alors regardé sa montre et a poussé un cri.

– Quoi ? Déjà si tard ? Quelle horreur ! Et vous qui travaillez tous demain ! À bientôt, mes poussins !

Et, joignant le geste à la parole, elle a pris son renard, son manteau et a filé encore plus vite que Victor quand il ne veut pas débarrasser la table.

J'ai profité de son départ pour m'éclipser, moi aussi.

Il y a des jours où, si Scarlett est le mistral, maman est le mégot. Je n'avais aucune envie de voir la garrigue s'enflammer !

Ce soir-là, maman est venue s'asseoir sur mon lit comme quand j'étais petite.

Elle m'a caressé les cheveux et m'a dit :

– Tu sais, ma Lulu, j'ai toujours su que Scarlett lisait mon journal. J'en profitais pour lui faire passer un tas de messages en douce : une soirée où j'avais envie d'aller, une robe qui me plaisait...

– Finalement, tu te servais d'elle !

Je n'en revenais pas qu'elle ait su, pour Scarlett, et de la ruse qu'elle avait utilisée pour en tirer profit.

– Mais je compte sur toi, ça reste entre nous, a fait maman avec un petit sourire.

– Ne t'inquiète pas, maman.

– Dors bien, ma Lulu.

– Toi aussi, maman.

J'ai attendu qu'elle éteigne la lumière du couloir.

Puis j'ai pris mon journal, mon stylo à encre turquoise et j'ai commencé une nouvelle page.

« Je m'appelle Lucrèce, j'ai écrit, et j'ai vu les baskets de mes rêves dans le magasin en face du collège. Celui à côté de la boulangerie, pas l'autre. Elles sont noir et bleu, avec des lacets gris. Ah ! ma pointure : je fais déjà du trente-sept. »

Les élections

Ce qui est bien quand on est au collège, c'est qu'on nous apprend à être responsables et autonomes. Ça change tout par rapport à l'année dernière en primaire, quand j'étais petite.

Au début de l'année, le prof principal, qui est aussi notre prof de français, nous a dit :

– Les enfants, avant d'être des enfants, avant d'être des élèves, vous êtes des citoyens. Et nous allons ensemble organiser la cité.

Eliott a levé le doigt.

– Quelle cité ?

– Justement, a dit le professeur avec un sourire. Vous êtes tous élèves d'une même classe, vous avez des intérêts en commun, des points de vue à défendre. Vous voulez même peut-être améliorer certaines choses dans le collège. Vous êtes donc bien dans la position de citoyens d'une cité.

« Il est loufoque, celui-là », j'ai pensé, mais je n'ai rien dit.

– Concrètement, a poursuivi le prof principal, nous allons organiser les élections de deux délégués. Ils seront vos représentants et seront présents au conseil de classe pour vous défendre. Que ceux qui veulent se présenter lèvent le doigt. J'inscris leur nom au tableau. Au prochain cours, chaque candidat présentera son programme, et donnera aux autres de bonnes raisons de voter pour lui. Enfin, lors du cours d'après, vous voterez. Vous avez compris ?

Personne n'a réagi. Il y avait même un drôle de silence.

– Bon, a repris le prof principal. Alors, qui se présente ? Personne ? Allons ! Ne soyez pas timides !

Augustin a levé le doigt en premier, puis Aline et Eliott. Pauline et Coline les ont imités. Finalement, en moins d'une minute, toute la classe avait la main en l'air.

Le prof a regardé la classe comme s'il découvrait une forêt dont il fallait couper les arbres. Est-ce que j'ai déjà dit qu'avec ses chemises à carreaux, il a un petit côté bûcheron?

– Si je comprends bien, vous êtes tous candidats? il a soupiré.

– Non, pas moi, j'ai précisé.

– Pas moi non plus, a ajouté Élisabeth.

– Rappelle-moi ton prénom, il m'a demandé. Je ne vous connais pas encore très bien.

– Lucrèce, j'ai murmuré, parce que, même quand j'articule bien mon prénom, les gens me le font répéter.

Et ça n'a pas raté.

– Lutèce?

– Non! Lu*crèce*, j'ai répété.

Il a ouvert la bouche pour dire quelque chose et, finalement, il a semblé se raviser.

– Bon. Je vais donc noter les prénoms des candidats au tableau et sur mon cahier. Je vous écoute.

Et chacun a donné son prénom. Manque de bol, il y avait une autre Élisabeth qui, elle, se présentait.

– Pas de problème, a dit le prof. Pour vous distinguer, il y aura Élisabeth 1 et Élisabeth 2. Toi, tu seras la première et toi, la deuxième.

Quand la sonnerie a retenti, tous les citoyens se sont précipités dans la cour.

– Tu veux me dire quelque chose, Lucrèce? m'a demandé gentiment le prof en me voyant traîner en classe.

– Non, non. Sauf que je ne comprends pas pourquoi c'est pas vous qui choisissez le délégué. Ce serait plus simple.

– Oui, mais la démocratie exige des élections, il a répondu en rangeant ses affaires. On en reparlera si tu veux.

Je suis rentrée chez moi avec Pauline qui habite juste à côté.

– Pourquoi tu t'es pas présentée? elle m'a demandé.

– Je sais pas. Je me suis dit qu'on avait assez de devoirs comme ça, et que j'avais pas envie d'avoir du travail en plus qui ne rapporte pas de notes.

Elle n'a rien répondu mais, à son air, j'ai bien vu que mon argument avait tapé juste.

Pendant le dîner, maman m'a questionnée :

– Alors Lulu, comment s'est passée cette journée ?

– Bien, j'ai répondu. On a appris qu'on n'était pas des élèves mais des citoyens, et qu'il fallait élire un représentant qui ne serait pas vraiment le chef mais le porte-parole de la classe.

– C'est fou la pédagogie d'aujourd'hui, a dit Georges. C'est très intelligent d'initier les enfants aux rouages du pouvoir.

– Ça veut dire quoi, « rouages » ? j'ai demandé.

– C'est le fait de se teindre en roux quand on est vieux, a répondu Victor. Comme Scarlett.

Georges et maman avaient déjà repris leur conversation comme si je n'avais rien dit. Dans ces moments-là, j'ai l'impression d'être transparente et ça m'exaspère.

Heureusement que j'ai Madonna : avec elle, on peut discuter. Elle sort sa tête de sa carapace et on se comprend.

Le lendemain, dans la cour, les copains ne parlaient que des futures élections.

– Moi, j'ai un programme d'enfer, se vantait
Arthur.

– Moi, j'ai réfléchi toute la soirée et j'ai plein
d'idées géniales, affirmait Aline.

Arrivés en cours de français, tous les citoyens
étaient agités. C'est à peine si on s'entendait.
Tout le monde levait la main et voulait présenter son programme en premier.

– Du calme, est intervenu le prof. Comme vous
êtes vingt-huit, chacun a droit à deux minutes,
pas une de plus.

En fait, tout le monde avait plus ou moins les
mêmes propositions. Ça allait de rallonger les

vacances jusqu'à raccourcir les heures de cours. Mathis a même suggéré de faire couper le marronnier de la cour pour avoir plus de place pour jouer au foot.

– Je vois, je vois, a soupiré le prof en regardant sa montre.

On y avait passé toute l'heure.

– Demain, on passera au vote, a-t-il conclu, et deux d'entre vous seront élus. Aussitôt après, j'attaquerai mon programme.

– Vous aussi, vous vous présentez, monsieur ? j'ai demandé.

– Non. Pourquoi dis-tu ça, Lucrèce ? s'est exclamé le prof.

– Ben, vous parlez de programme !

Il s'est passé la main dans les cheveux.

– Pas mon programme électoral ! Le programme scolaire !

– Et on peut le connaître, votre programme ? a demandé Eliott qui ne perd jamais une occasion de se faire remarquer.

– Ne t'inquiète pas, a riposté le prof. Tu as toute l'année pour en prendre connaissance !

– Elle commence bien, la vie de notre cité, a rigolé Coline. Nous, on a deux minutes et vous, vous avez toute l'année !

Là, le prof a tapé dans ses mains pour ramener le calme et nous expliquer comment le vote se déroulerait le lendemain. Il apporterait un chapeau dans lequel nous mettrions chacun deux petits papiers avec un nom.

– Si personne n'obtient la majorité absolue, nous organiserons un second tour pour départager ceux qui auront obtenu le plus de voix. Et vous aurez élu vos deux délégués, il a terminé avec un sourire épuisé.

– Mais avant le deuxième tour, a réclamé Augustin, il faudra organiser un débat entre les candidats qui n'auront pas été éliminés !

– Je crois qu'on va s'en passer, Augustin, lui a répondu le prof de français. J'ai quand même deux trois trucs à vous apprendre avant la fin de l'année.

Quand Georges et maman sont rentrés ce soir-là, j'ai dévalé l'escalier et je leur ai lancé :
– Vous savez quoi ? Demain, je vote !
– Ah bon ! s'est exclamé Georges. Tu n'es pas un peu jeune ?
– T'es vraiment loufoque, toi, j'ai répondu. Je t'ai déjà expliqué que c'était les élections des délégués de classe !
J'ai eu un mal fou à m'endormir tellement j'étais impatiente !
C'est émouvant, des élections. Quand j'étais petite, j'adorais accompagner maman au bureau de vote. Elle prenait tous les bulletins qui étaient posés sur la table, s'enroulait dans un rideau, en ressortait et mettait son enveloppe dans une boîte.
Moi, je croyais que les candidats étaient ceux qui disaient «a voté» ou «signez là».

– Et voilà, disait maman. J'ai accompli mon devoir.

Et moi je pensais qu'elle avait bien de la chance que ses devoirs lui prennent aussi peu de temps.

Aujourd'hui, c'est le premier tour de *nos* élections.

Quand on est arrivés en classe, un chapeau trônait sur le bureau du prof de français. Un chapeau noir et mou qui ressemblait à celui du père de Georges.

Les prénoms des candidats étaient inscrits au tableau. C'est-à-dire toute la classe, sauf moi et l'une des Élisabeth.

– Voilà ! Maintenant, pliez vos papiers, et venez les déposer dans le chapeau.

Rangée par rangée, nous sommes allés voter. C'était un moment très solennel et même Eliott a oublié de faire l'imbécile.

Quand le chapeau a été rempli, et que chacun a eu regagné sa place, le prof a désigné Joseph.

– Tu es le plus jeune de la classe. C'est toi qui vas dépouiller.

– Mais je vais dépouiller qui, monsieur ? s'est étranglé Joseph, paniqué.

– Personne, voyons. « Dépouiller », ça veut dire que tu vas retirer les bulletins de vote du chapeau et nous lire les noms à haute voix.

– J'aime mieux ça, a répondu Joseph.

À chaque voix, le professeur mettait au tableau un petit trait devant le prénom correspondant sur la liste.

Et le résultat a été loufoque ! Chacun avait un trait, sauf Aline qui avait eu deux voix, la sienne et la mienne, et Arthur qui avait eu celle d'Élisabeth.

Je la soupçonne d'être amoureuse de lui, mais

elle n'a rien compris : on ne vote pas pour le physique mais pour un projet.

– Bon, a commenté le prof de français d'une voix fatiguée. Si chacun vote pour lui-même, on ne va jamais s'en sortir. On refait un tour. Je vous demande de réfléchir, de repasser dans vos têtes les propositions de vos camarades. C'est important de bien choisir ceux qui vous représenteront. Le seul critère qui compte, ce sont les idées.

Et on a recommencé, les feuilles, les noms, le chapeau et Joseph.

On n'a pas eu de récré parce que le prof de français nous a dit, sur un ton pas très citoyen, qu'il trouvait que cette histoire d'élections nous avait déjà pris bien trop de temps.

Joseph a recommencé à tirer les papiers dans le chapeau et il a lu les deux premiers noms à voix haute :

– Lucrèce et Élisabeth 2.

Il a replongé la main dans le chapeau et, de plus en plus solennel, il a annoncé :

– Élisabeth 2 et Lucrèce.

Le prof l'a arrêté.

– Montre-moi ça, Joseph. Ce n'est pas possible, ce sont les deux seules à ne pas s'être présentées !

Et sans se soucier de la règle du plus jeune, devant un Joseph ulcéré, il a déplié lui-même les papiers et les a tous lus très vite.

– Mes enfants, il a annoncé, nous sommes là dans une situation bien curieuse mais à laquelle il fallait s'attendre. Avoir presque autant de candidats que d'électeurs, à deux exceptions près, est la preuve d'une démocratie qui va

mal. Cependant, vous avez réagi et je vous en félicite. Vous avez donc élu... à l'unanimité Lucrèce et Élisabeth 2.

Aussitôt, la classe a applaudi à tout rompre. Moi, je n'en revenais pas.

– Mais monsieur, j'ai dit, je n'étais pas candidate ! Je n'ai pas de programme, pas de projet ! Je ne crois pas que je serai capable de représenter les copains au conseil de classe.

– Je suis sûre que ça s'apprend très vite, s'est rengorgée Élisabeth 2. Moi, finalement, j'ai ça dans le sang.

Le soir, quand j'ai annoncé à Georges et maman que j'avais été élue aux élections sans même me présenter, Georges a dit :

– Lulu, j'ai un slogan pour ta prochaine campagne : «Avec Lucrèce au pouvoir, vous ne vous laisserez plus empoisonner ! »

En y pensant, l'idée d'être élue sans avoir rien demandé me plaît bien.

Le pouvoir, on y prend goût et, l'année prochaine, je ne me représenterai pas non plus !

Les lentilles

Juste avant les vacances de Noël, le professeur de SVT nous a donné un travail à faire.

– Les enfants, je vous propose une expérience. Vous allez faire pousser des lentilles, vous les photographierez tous les jours et vous commenterez leur évolution.

C'est le genre de devoir que j'adore parce que je sens que j'ai en moi la fibre de l'agriculture : l'été dernier, j'ai réussi à faire germer un noyau d'avocat.

Arrivée à la maison, j'ai affiché la consigne au-dessus de mon bureau.

« Quatre récipients pour quatre expériences. Dans le premier, de l'eau et pas de lumière ; dans le deuxième, de la lumière et pas d'eau ;

dans le troisième, de la lumière, de l'eau mais pas de chauffage; et enfin, dans le dernier, lumière, eau, chauffage. Il faudra décrire et expliquer l'évolution du contenu de chacun des récipients. »

Ma mère, à qui j'ai raconté ce que j'avais à faire, s'est distraitement renseignée:

– Mais qu'est-ce que c'est que cette matière, SVT?

– Ça veut dire «Sauve-toi Va-T'en», a dit Victor, sans lever les yeux de son magazine qui consacrait un dossier aux zombies et aux extra-terrestres.

– Ah bon? a dit maman.

– Mais non ! C'est Sciences de la Vie et de la Terre, j'ai rectifié, un peu énervée.

– À mon époque, a précisé maman, on disait sciences naturelles.

Chaque fois que ma mère parle de l'ancien temps, je l'imagine s'énervant sur son silex parce que le feu ne jaillit pas assez vite.

Quand Georges est rentré, j'étais tout heureuse de lui raconter l'expérience que j'allais faire.

– Ah, enfin du concret. La théorie, c'est bien, mais la pratique, c'est mieux, s'est-il emballé.

J'ai posé sur la table basse du salon les soucoupes du service à café que la tante Olga a offert à maman pour son précédent mariage, celui avec mon père. Victor est allé chercher du coton pendant que Georges piquait du nez dans son fauteuil.

– Papa! s'est écrié soudain Victor. Et les lentilles?

– Des lentilles? Quelle idée formidable! a bredouillé Georges brutalement réveillé. Et si on s'en faisait avec une bonne saucisse de Morteau?

Maman a levé les yeux au ciel.

Dans la cuisine, Victor et moi on a fouillé partout. Pas de lentilles. Mon frère a finalement sorti d'un placard une boîte de conserve.

– Regarde ce que j'ai trouvé, Lulu. On n'a plus qu'à ouvrir la boîte et à les planter.

– C'est ta tête que je vais ouvrir Victor, si tu continues à m'énerver!

En voyant mon air furieux, maman l'a regardé comme si elle devait assurer sa défense.

– Allons, allons, les enfants. Restons calmes. Pas de geste que vous pourriez regretter.

Il faut dire que maman est avocate. Elle bondit dès que quelqu'un est en difficulté.

J'ai fini par courir chez l'épicier au bout de la rue pour acheter un paquet de lentilles. L'expérience allait pouvoir débuter.

Sur le coton, on a commencé par disposer les graines. J'ai mis la première soucoupe, celle qui ne devait pas voir la lumière, dans le tiroir du placard où je range mes tee-shirts. J'ai posé la seconde sur la table du jardin, en plein soleil, et les deux autres sur la table basse du salon. Bref, j'ai suivi les consignes à la lettre.

Il ne me resterait plus qu'à photographier les étapes de l'expérience. Pas de problème non plus, je me servirais de l'appareil photo que Scarlett, ma grand-mère, m'avait offert pour mon anniversaire.

Georges nous observait, Victor et moi, avec comme une lueur de gourmandise dans les yeux.

– Ça a l'air drôlement bon ce que tu prépares, Lulu !

– Mais je ne cuisine rien du tout, Georges ! Je fais mon expérience.

La façon dont il se frottait les mains m'a fait

peur pour mes lentilles. Il fait ce même geste devant Casserole, le lapin nain de Victor, ce qui a le don de mettre mon frère hors de lui.

C'est alors que maman a annoncé :

– Les enfants, nous partons après-demain.

– On part ? Mais où ça ? je me suis affolée.

– Chez les parents de Georges pour le réveillon de Noël. Je compte sur vous pour préparer vos affaires.

Ça c'est maman tout craché. Elle décide, et on doit suivre.

– Impossible, j'ai dit. Et mes lentilles ?

– Quoi, tes lentilles ? a-t-elle demandé.

– Il faut que je les photographie tous les jours ! Je ne peux pas partir, je ne peux pas non plus les faire voyager.

– Certes, certes, a dit Georges en se grattant le front. On va trouver une solution. En attendant, on pourrait peut-être dîner ? Ces lentilles me provoquent depuis tout à l'heure.

Maman a levé les yeux au ciel avant de se tourner vers moi.

– Lucrèce…, elle a commencé.

Quand maman m'appelle Lucrèce, c'est que je l'empoisonne.

– Lucrèce, tu es en train de nous dire qu'à cause de tes lentilles une famille tout entière va devoir se priver de vacances ? Tu veux qu'on dépose les cadeaux de Noël dans la forêt qui aura poussé en cinq jours dans les soucoupes en porcelaine de la tante Olga ? J'ai bien résumé ?

Pile à ce moment-là, Scarlett est arrivée, précédée de son parfum sucré.

– Qu'est-ce qui se passe? Vous avez enterré Madonna? elle a plaisanté en voyant nos mines chiffonnées.

– Non, rassure-toi, maman, a dit maman. On a juste enterré Noël parce que ta petite-fille doit photographier dans le noir des lentilles desséchées.

– Le jeu en vaut peut-être la chandelle, a rétorqué Scarlett en effleurant les soucoupes en porcelaine.

Ma grand-mère adore les proverbes. Elle les fait rentrer au chausse-pied dans toutes les situations. Je l'aime beaucoup mais elle est complètement loufoque.

Évidemment, je n'ai pas eu le choix. Et j'ai compris que mes lentilles et moi, on ne faisait pas le poids face aux guirlandes et à la dinde aux marrons.

Pendant les deux jours qui ont précédé le départ, j'ai photographié mes lentilles avec application. J'étais un peu triste que les lentilles dans le noir n'aient pas de lumière, que les lentilles sans eau ne soient pas arrosées et que les lentilles à l'extérieur puissent souffrir du froid... Je m'attache à tout ce qui est vivant, c'est plus fort que moi.

– Mais c'est la vie normale des cobayes, ma chérie, m'a dit Scarlett. Pense à tous ces animaux si mignons qu'on sacrifie pour que tu puisses mettre du vernis sur tes ongles.

J'ai regardé les ongles de ma grand-mère, longs, rouges et brillants. Sur chacun d'entre eux je voyais un hamster, une petite souris ou un cochon d'Inde.

– De toute façon, ne t'inquiète pas, Lulu, a repris Scarlett. Je passe les fêtes de Noël ici. Mon nouveau fiancé a réservé des places de théâtre le soir du réveillon. Alors je viendrai arroser et photographier tes lentilles tous les jours.

– Scarlett, tu me sauves ! Tu es la meilleure !

– Formidable, a dit Georges qui est toujours content quand les choses s'arrangent.

Nous sommes donc partis trois jours chez les grands-parents de Victor.

Chaque matin, sans exception, j'ai téléphoné à ma grand-mère.

– Allô, Scarlett?

– Oui, ma Lulu!

– N'oublie pas mes lentilles, surtout!

– Tu peux compter sur moi, ma chérie. Je photographie ta tortue et je donne de la salade à tes lentilles!

Le séjour m'a paru interminable. J'avais hâte de rentrer pour voir comme mes lentilles avaient poussé. Rien ne manquerait à mon dossier, et une très bonne note doperait ma moyenne qui ne dit jamais non à un petit coup de pouce.

Je me voyais déjà donner une interview à un grand journal américain:

– Lucrèce, comment est née cette vocation qui a fait de vous cette agronome mondialement réputée?

– Eh bien, quand j'étais petite, j'ai eu un devoir de SVT. Je devais faire pousser des lentilles et les observer. Ça m'a passionnée et j'ai réalisé que je pourrais être utile à l'humanité.

– C'est formidable! Le talent au service de la planète, vous êtes un exemple pour nous tous!

– Lulu! Lulu!

Ça, ce n'était plus la journaliste, c'était la voix de ma mère.

– Lulu, réveille-toi, on est arrivés!

Je m'étais endormie dans la voiture pendant le trajet qui nous ramenait à la maison.

Moi, Noël et les fêtes, ça m'épuise…

Georges avait à peine coupé le moteur de la voiture que je me suis précipitée dans le jardin pour voir la soucoupe de lentilles n° 3, celle qui est exposée au froid.

Mais rien. Pas de lentilles. J'ai foncé dans le salon. Sur la table basse, pas de soucoupe non plus. J'ai couru dans ma chambre, j'ai regardé dans le placard… Rien.

J'ai hurlé.

Maman est arrivée en courant, essoufflée d'avoir grimpé les deux étages.

– Qu'est-ce qui se passe, Lulu ?

Je hoquetais :

– Mes… Mes… lentilles ont disparu !

Et j'ai claqué la porte de ma chambre avec une telle force que le sens interdit accroché à l'extérieur est tombé par terre.

Puis j'ai sauté sur mon téléphone.

– Allô ? Scarlett ? C'est moi, Lulu. Où sont mes lentilles ?

Évidemment, Scarlett est pire que les vrais adultes. Dès qu'elle a quelque chose à se reprocher, elle se terre, comme Madonna sous ses copeaux de bois. Elle n'a pas décroché et je lui ai laissé un message furibard :

– Écoute-moi bien, Scarlett : je vais avoir un zéro ! Et ce sera de ta faute ! Je ne te le pardonnerai jamais. Tu as piétiné mon avenir !

– Tu ne crois pas que tu en fais un peu trop ? a osé Georges en refixant calmement le panneau sens interdit.

J'ai essayé d'imiter maman quand elle est fâchée : j'ai plissé les yeux, même si ça me donne l'air d'un rongeur qui ne se serait pas remis de son troisième lifting, et j'ai reclaqué la porte à la volée.

Enfin, Scarlett a sonné en bas.

Je la reconnais à sa façon exaspérante de sonner en pointillé. Très en colère, je suis allée lui ouvrir. Elle portait son écharpe à tête de renard et un rouge à lèvres un peu orange, assorti à ses cheveux.

– Ah ! ma Lulu ! Alors, comment vont les croque-morts de Loire-Atlantique ?

C'est comme ça qu'elle appelle les parents de Georges.

– Mes lentilles. Où sont passées mes lentilles ?

– Tes lentilles ? Ah, oui ! Je ne t'ai pas raconté ? a gloussé Scarlett. Figure-toi que j'ai eu la visite de ma sœur Olga. Et tu sais à quel point elle est susceptible…

– Tu noies le poisson, Scarlett ! Dis-moi la vérité.

– Olga adore le thé, tu le sais aussi…

– Arrête de changer de sujet !

– Je me suis dit qu'elle apprécierait que je le serve dans les tasses en porcelaine qu'elle a offertes à tes parents. C'est bien le seul cadeau qu'elle leur ait jamais fait !

– Et alors ?

– Alors ? Tu imagines la tête de la tante Olga en voyant que sa porcelaine de famille servait de bac à plantes ? Remercie-moi plutôt d'avoir jeté le contenu des soucoupes.

– Tu as fait ça ?

– Bien obligée. D'ailleurs, elle a laissé un cadeau pour toi. Tiens.

Scarlett m'a tendu un paquet assez lourd. J'étais folle de rage. Mais un cadeau à ouvrir, ça ne se refuse pas.

J'ai ouvert le mot qui était scotché sur le paquet :

« *Ma Lucrèce, voici pour Noël le saladier assorti au service en porcelaine que j'ai offert à tes parents et dont j'ai pu constater qu'il était conservé avec soin. Plus tard, tu apprécieras. Fais-en bon usage.*

Ta tante Olga qui t'aime. »

– Qui fait une partie de Mille Bornes ? a proposé Georges pour détendre l'atmosphère.

Pas moi. J'étais inconsolable pour mes lentilles, et très angoissée aussi par le zéro qui s'annonçait. Non seulement il ferait chuter ma moyenne mais, en plus, il me vaudrait un sermon du professeur principal, sur les mauvaises notes qui sont les premières marches d'un immense escalier qui mène à la délinquance... C'est son grand truc.

Je suis allée me réconforter auprès de Madonna, le seul être à me comprendre dans ce monde. C'est alors que j'ai vu, dans son terrarium, au milieu des copeaux de bois, entre un quart de fraise et une demi-tomate cerise, que poussait une jolie petite plante.

Elle se portait à merveille et ma tortue en avait d'ailleurs commencé la dégustation.

– Eh bien, a dit Scarlett en se penchant par-dessus mon épaule. Tu vois, elles ne sont pas perdues pour tout le monde, tes lentilles !

J'ai poussé un cri de soulagement.

– J'ai la solution de mon expérience, alors! Pour que des lentilles poussent, il leur faut donc les trois: de la chaleur, de l'eau et de la lumière.

– Et beaucoup d'attention! a précisé Scarlett en rajustant son col en fourrure.

Je suis allée chercher mon appareil pour photographier les lentilles. Et Madonna. Il ne lui manquait plus que des lunettes noires. Une vraie star!

C'était décidé. Quand je recevrais mon prix Nobel d'agronomie, mon discours commencerait par ces mots: «Chère Scarlett, chère Madonna, c'est à vous aujourd'hui que je dédie ce prix…»

Belote et rebelote

Cette année, mon anniversaire aura une saveur particulière. J'organise la fête chez moi et j'ai obtenu de mes parents qu'ils me laissent la maison.

Et puis, j'ai invité Ruben.

Depuis le jour où j'ai osé lui remettre l'invitation, la pression n'a cessé de monter.

– Ruben ?

– Oui ?

– Ça va ?

– Ben oui. Pourquoi ?

– Tiens, c'est une invitation pour mon anniversaire, et si jamais tu étais libre, j'aimerais beaucoup que tu viennes.

– Lucrèce! Respire entre les mots!

Je n'en menais pas large quand je lui ai remis l'enveloppe. Il a pris la carte, l'a lue, et m'a souri.

– Tu crois que tu pourras venir?

– Aucune idée. Tu sais, j'ai foot et tennis le samedi.

Ruben a un an de plus que moi. Je le vois à la récré et, parfois, je le croise par hasard. Enfin, comme j'ai réussi à me procurer son emploi du temps, c'est toujours un hasard un peu calculé.

Et *le hasard fait bien les choses*, comme dirait Scarlett.

Quand je l'aperçois, même s'il est à l'autre bout de la cour et même s'il est en train de parler avec un copain, je m'approche comme si ce n'était pas lui qui m'intéressait mais le marronnier juste derrière. Et je joue l'étonnée.

– Ruben! Tu es là? Mais c'est fou, je vais finir par croire que tu me suis.

Dans ces cas-là, j'ai chaud, très chaud. Je le sens. Je dois être aussi rouge que le dernier vernis à ongles de Scarlett.

Il faut dire qu'il est vraiment beau, Ruben.

C'est la première fois que Georges et maman acceptent de me confier la maison. Mais je n'ai pas réussi à obtenir qu'il n'y ait aucun adulte.

– Mais maman, je suis grande et responsable ! Fais-moi confiance. Les adultes, ça te détruit une ambiance en deux temps trois mouvements.

– Écoute-moi bien, Lulu, je suis d'accord pour que tu fasses une fête, mais à condition que Scarlett soit présente. C'est non négociable, donc ne perds pas ton temps.

92

Et Scarlett n'étant pas vraiment une adulte, j'ai dit d'accord.

Ma grand-mère a trois passions dans la vie : les proverbes, la fête et les jeux.

Par exemple, c'est Scarlett qui depuis que je suis toute petite m'a appris à jouer aux cartes. D'abord à la bataille, puis au huit américain. Là, on en est à la belote.

– Et moi, quand m'apprendrez-vous à jouer au poker ? lui a demandé Georges un jour.

– Quand vous serez assez riche pour vous faire plumer, lui a répondu Scarlett.

Ma grand-mère est complètement loufoque.

Avec les Lines, on comptait les jours qui nous séparaient du grand soir.

Je n'avais qu'un prénom en tête, Ruben, et dès que je téléphonais à l'une d'elles, je revenais sur le seul sujet qui me passionnait.

– Et Ruben, tu crois qu'il viendra ?

– Mais oui, Lulu ! Et puis, au pire, s'il ne vient pas, tu noieras ton chagrin dans les bonbons.

Je suis arrivée à caser Victor chez son

meilleur copain. Victor a beau être mon demi-frère, quand il s'agit de le caser, il n'a rien d'un demi !

– Je te promets, Lulu, tu ne me verras pas ! Je pourrai t'aider pour le buffet, je te prêterai ma console, je mettrai la table pendant au moins trois siècles !

Je n'ai pas cédé.

– Laisse tomber, Victor. Tu es trop petit, c'est une soirée entre grands, pas un atelier Lego.

Pour préparer la fête, j'avais passé des heures avec les Lines.

On avait établi la liste des invités, la liste des morceaux qu'on passerait, la liste des choses à acheter pour le buffet, et on n'était d'accord sur rien.

– C'est MON anniversaire ! J'ai bien le droit de choisir la musique que je veux…

– Et les copains que tu aimes ?

– Voilà. C'est ça.

Le jour J, Scarlett est arrivée en fin d'après-midi, à l'heure prévue. Elle avait une jupe courte,

des talons aiguilles et Igor son renard qui lui tombait sur l'épaule comme pour lui parler.

– Où vas-tu dans cette tenue, maman? a demandé maman en la voyant entrer.

– Mais je viens aider ma petite-fille chérie à fêter dignement son anniversaire!

Georges et maman ont ouvert des yeux ronds.

Finalement, maman a mis son manteau et Georges a pris les clefs de la voiture.

– Eh bien, soyez sages! a dit maman en nous fixant, les Lines et moi.

– Ne t'inquiète pas pour nous, a répondu Scarlett.

Victor les a suivis à contrecœur. Sur le pas de la porte, il a tenté un dernier argument :

– J'avais encore quelques morts-vivants à exterminer sur ma console. En plus, j'étais au bord de récupérer une vie !

Maman l'a regardé avec des yeux qui n'ont pas gagné de vie depuis longtemps, et Victor n'a plus discuté.

Cette fois, ils sont partis tous les trois. La maison est à nous !

Scarlett a enlevé son renard qui semblait fatigué et s'est laissée tomber sur l'un des sofas qu'on était en train de déménager.

On a terminé l'installation du salon. On a poussé le canapé, dans lequel ma grand-mère faisait une réussite sur son téléphone, retiré la table basse, exfiltré les objets fragiles et caché les photos de moi bébé.

– Pauline, enlève cette photo, s'il te plaît !

– Et tu veux qu'on retire aussi celle où tu es dans la piscine avec ta bouée en forme de canard ?

Les Lines se moquaient de moi, mais ça

n'avait aucune importance. Elles feraient moins les malines, mes Lines, quand Ruben m'inviterait à danser.

Après avoir disposé çà et là des bols de bonbons et installé un spot qui fait de la lumière rose et jaune, on est montées dans ma chambre, très pressées que la fête commence.

J'ai essayé toute mon armoire et un peu celle de maman.

– Comment tu trouves cette robe?

– Coincée.

– Et cette jupe?

– Elle était à ta mère quand elle était petite?

Alors que je me battais avec un bustier, Coline m'a montré Madonna : elle lui avait barbouillé la carapace avec du brillant à lèvres mauve.

Je la lui ai arrachée des mains en poussant un hurlement.

– T'es pas un peu loufoque, toi? Elle respire par la carapace. Elle va s'étouffer!

– N'importe quoi, a répondu Aline.

– Depuis quand tu t'y connais en tortues?

Pauline a haussé les épaules. Puis, en imitant la sirène des pompiers, elle est allée chercher un coton à démaquiller pour sauver Madonna.

Après avoir débarbouillé ma tortue, les Lines ont finalement voté pour que je garde mon jean et mes baskets.

– Ne change rien, Lulu. Il t'aimera comme tu es.

Au même moment, la sonnette a retenti. Le cœur battant, j'ai couru pour aller ouvrir.

C'était Alma, Anouk et Julie... Les filles sont vraiment plus ponctuelles que les garçons quand il s'agit d'événements importants.

– Tu crois qu'il va venir ? j'ai gémi.

Coline a pris un air exaspéré et a monté le son de la musique.

– Je suis sérieuse ! Et s'il ne venait pas ?

Pauline a fait mine de n'avoir rien entendu. Ça faisait la millième fois au moins que je lui posais la question.

Scarlett était dans la cuisine. Elle remplissait un saladier de chips qu'elle mangeait à mesure, en prenant l'air étonné de le retrouver vide.

99

– Scarlett, arrête! Il n'y en aura plus pour nous!

Elle a rigolé, la bouche pleine, et ses mains avaient la couleur des bonbons qu'elle engloutissait.

– Sois indulgente, ma Lulu. *La vieillesse est un naufrage!* elle a dit.

Et elle a commencé à mélanger le jeu de cartes qui ne la quitte jamais.

On a de nouveau sonné à la porte. J'ai écarté Aline pour ouvrir moi-même. C'était Augustin et Eliott.

– Vous n'auriez pas croisé Ruben? j'ai demandé en cachant ma déception.

– Le type qui s'y croit parce qu'il joue au foot comme Ronaldo?

– Oui, celui-là.

– Non. Bonjour quand même, Lulu.

Puis Elvire et Nicolas sont arrivés à leur tour.

Nicolas et moi, on est cousins. Je l'aime bien, même s'il est un peu prétentieux. Ce n'est pas parce que son grand-père était un héros dont les aventures ont fait le tour du monde

qu'on doit systé-
matiquement être
d'accord avec lui.
Non mais c'est
vrai, quoi, à la fin !

En dix minutes, le
salon était bondé. Scarlett
prenait les manteaux et les
blousons et se présentait à
tout le monde.

– Moi, c'est Scarlett, enchantée, et toi tu t'appelles comment ?

Je remplissais les verres de jus d'orange en
ne pensant qu'à Ruben qui n'arrivait pas.

Tout à coup, alors que j'engloutissais un petit
sandwich au fromage, les Lines se sont jetées
sur moi.

– Lulu ! Lulu ! Viens voir ! Il est là ! elles ont
piaillé avant de m'entraîner.

Mon cœur s'est envolé. Je ne l'espérais plus
et, en même temps, je l'espérais toujours.

Plus beau que jamais, les cheveux noirs, les
yeux bleus avec ce sourire qui ferait fondre les

neiges éternelles, Ruben était là, chez moi. Je n'arrivais pas à y croire.

C'est à peine si j'ai réussi à articuler.

– Bon... Bon... bonjour.

Je ne savais pas qu'on pouvait bafouiller sur deux syllabes. J'ai soudain eu très chaud au visage puis très froid dans le dos.

– Salut.

Je lui ai tendu la main, il m'a tendu son blouson. Ça tombait bien.

Progressivement, nous avons monté le son de la musique mais les filles restaient entre elles et regardaient les garçons qui discutaient dans le jardin. Je surveillais Ruben du coin de l'œil, il discutait avec Eliott. C'est à cet instant que Scarlett a fait une apparition avec, dans chaque main, des brochettes de marshmallows grillés.

– Qui en veut, les enfants ? Suivez-moi, par ici !

Le salon s'est vidé d'un seul coup. On aurait dit les rats suivant le petit joueur de flûtiau.

Folle de rage, j'ai déboulé à mon tour dans la cuisine. Scarlett trônait derrière la table, entre un vase rempli de bonbons et un paquet de cartes à jouer.

– Tout le monde a compris ? Soit on joue « tout atout » soit on joue « sans atout ».

– Scarlett ! j'ai crié. Tu n'es pas là pour t'amuser ! Juste pour t'assurer qu'il n'y a pas de problème !

– Lucrèce a raison. Allez danser, les enfants, vous avez toute la vie pour apprendre l'essentiel.

Au salon, j'ai monté le son de la musique. La ruse a fonctionné. Ils sont tous revenus. Sauf Ruben, qui restait introuvable.

À ce moment-là, quelqu'un a éteint toutes les lumières. Le salon n'était plus éclairé que par les bougies de mon gâteau. J'étais très émue et, quand les applaudissements ont éclaté, j'ai cherché Ruben des yeux. Mais il n'était pas là. Mon cœur s'est serré.

Où était-il passé? J'avais tellement rêvé de ce moment…

Puis la distribution des cadeaux a commencé. J'ai bredouillé des «Merci! Merci!» mais je n'avais pas la tête à ça.

– C'est de la part de toutes les Lines! a dit Aline en me tendant le leur.

Alors que j'allais l'ouvrir, Scarlett m'a prise dans ses bras et m'a murmuré à l'oreille:

– Ma Lulu, je crois que c'est quelqu'un de bien!

– Qui? De quoi tu parles?

D'un air mystérieux, ma grand-mère m'a dit:

– *Le jeu, c'est un corps-à-corps avec le destin.* Viens avec moi dans la cuisine.

Je l'ai suivie sans comprendre... pour découvrir Ruben, assis à table avec deux autres copains.

– Qu'est-ce que vous fabriquez ? j'ai demandé.

Ruben a rassemblé les cartes.

– Ta grand-mère nous a appris un jeu génial !

Je n'en revenais pas, j'étais consternée. Moi, je l'avais invité pour danser avec lui, pas pour taper le carton.

– Allez, Lulu, assieds-toi. Augustin, laisse ta place à Lulu, c'est son anniversaire après tout.

– Non mais t'es pas un peu loufoque, toi ? On n'est pas assez vieux pour jouer aux cartes ! j'ai dit en lançant un regard appuyé à Scarlett qui finissait un paquet de chips.

– En fait, tu sais pas jouer, m'a provoquée Ruben.

– Pas jouer à la belote, moi ?

Je me suis assise avec eux. J'ai pris les cartes, les ai battues comme Scarlett me l'avait montré après son séjour à Las Vegas il y a deux ans, et j'ai distribué : d'abord trois, puis trois, puis deux.

La fête continuait mais la musique ne me gênait pas, même si j'aurais volontiers baissé le son pour mieux me concentrer.

Et, alors que j'abattais mes dernières cartes, j'ai dit calmement (il faut toujours avoir le triomphe modeste) :

– Belote, rebelote et dix de der !

Ruben me dévisageait. Et j'ai vu un drôle de truc dans ses yeux, quelque chose qui ressemblait à de l'admiration.

– Je veux ma revanche ! il a marmonné en se calant sur sa chaise.

– D'accord, j'ai dit. Mais tant pis pour toi...

Scarlett me couvait du regard en mâchouillant

un nouveau bonbon. Elle n'a pas pu s'empêcher de regarder mon jeu alors que je venais de redistribuer les cartes.

Elle m'a simplement soufflé à l'oreille:

– Atout cœur, ma Lulu! Et très bon anniversaire!

Ma grand-mère est redoutable, elle comprend même quand on ne lui explique pas!

La sortie

Ce matin, la prof d'histoire-géo nous a annoncé que nous irons visiter le musée de la Marine.

Tout le monde a applaudi parce que ce qu'il y a de mieux quand on entre au collège, ce sont les sorties.

– Les enfants, ne vous réjouissez pas trop vite ! a prévenu la prof. Vous aurez un questionnaire à remplir dont la note comptera dans la moyenne. Et ce n'est pas tout. Si je ne suis pas satisfaite des résultats, je n'organiserai plus de sortie jusqu'à la fin de l'année.

Moi, j'avais décidé d'avoir une très bonne note. On ne peut pas s'amuser à chaque fois.

C'est très bizarre, les musées, et même un peu magique. Quand on y va seul avec les parents, c'est aussi barbant qu'un déjeuner du dimanche chez la tante Olga. Surtout quand on sait qu'au moment du dessert, la tante Olga nous dit, de sa voix qui va pleurer :

– Vous allez bien rester dîner ?

– Avec plaisir, Olga ! hurle toujours maman parce qu'Olga est de plus en plus sourde.

Mais les musées, quand on y va avec les copains, c'est presque aussi amusant qu'un parc d'attractions.

Le problème, c'est qu'il y a forcément deux ou trois parents qui accompagnent la classe. Et bingo, ça n'a pas raté ! Maman, qui travaille tout le temps d'habitude, a été emballée quand je lui ai montré mon carnet de correspondance.

– J'annule tous mes rendez-vous ! Je prends mon après-midi et je viens avec vous !

Victor m'a regardée du coin de l'œil qui lui restait. L'autre était pris par l'écran de son jeu vidéo.

– T'en as de la chance, Lulu !

– Toi, tais-toi ! j'ai répondu. On verra quand ce sera ton tour d'avoir maman collée à toi devant tes copains toute une journée !

J'ai bien essayé de dissuader maman :

– T'as des clients qui t'attendent en prison. Tu peux pas les laisser tomber !

Ma mère est avocate mais, vu le temps qu'elle passe en prison, je me demande dans quelle mesure ce n'est pas elle qui a des ennuis.

– Ne t'en fais pas, ma chérie, jeudi, je n'avais justement que des rendez-vous à mon bureau.

– Tu vois, Lulu, tu t'inquiètes toujours pour rien, a ricané Victor.

111

Contrariée, je suis montée faire mes devoirs. Quand je suis descendue pour le dîner, maman expliquait à Georges :

– Toutes ces initiatives pédagogiques sont formidables. Tu te rends compte, donner aux enfants la chance d'aller visiter le musée de la Marine ? Comme c'est enrichissant !

– C'est certain. C'est beau, tous ces engins qui volent.

– Qui *volent* ? Je te parle du musée de la Marine, chéri !

Georges est décidément toujours dans la lune. Ça doit avoir un rapport avec son métier. Il est aiguilleur du ciel.

Le lendemain, en arrivant au collège, j'ai annoncé aux Lines la catastrophe :

– Vous savez quoi ? Ma mère nous accompagne au musée.

Aline m'a serrée dans ses bras.

– Tu sais que tu peux compter sur moi dans les moments difficiles.

Coline, elle, est toujours positive.

– T'inquiète, on s'amusera la prochaine fois.

Et Pauline m'a proposé un crocodile jaune, mon bonbon préféré.

En lisant le mot de ma mère, la prof d'histoire-géo m'a félicitée.

– Remercie bien ta maman, Lucrèce. Rares sont les parents qui s'impliquent.

Quand mon réveil a sonné ce matin, j'étais d'une humeur de chien.

Le collège, c'est le collège, la maison, c'est la maison, et je n'aime pas quand mes mondes se mélangent.

– Maman! T'étais pas obligée de t'habiller comme moi! j'ai ronchonné quand on a quitté la maison.

– Tu n'aimes pas mon blouson? Ni mes

113

baskets? Regarde, Lulu, j'ai retrouvé le sac US de mes quinze ans!

– Tu parles de ton vieux chiffon kaki en bandoulière? Elle était bizarre, la mode, à ton époque.

Sur le chemin, j'ai mis les choses au point:

– Écoute, maman, tu ne m'appelles pas autrement que Lulu ou Lucrèce, compris?

– Compte sur moi, mon poussin.

Arrivées devant la grille du collège, maman était un peu intimidée.

– Je te suis à l'intérieur, Lulu ?

– Non, reste dans la cour.

Elle s'est assise sagement sur un banc, près du grand marronnier. À côté d'elle, la mère d'Eliott téléphonait et, appuyé sur le mur contre lequel on joue au ballon, le père de Julie lisait son journal. Heureusement, maman n'était pas le seul parent à nous accompagner.

Les Lines sont venues l'embrasser et elle a repris des couleurs.

– Bonjour, les Lines ! Prêtes pour l'aventure ?

Quand ça a sonné, on s'est mis en rang devant la salle de classe.

C'est là que la prof d'histoire-géo nous a donné les consignes pour le musée :

– Écoutez-moi bien, les enfants. Vous touchez avec les yeux, vous écoutez la conférencière et vous prenez des notes. C'est bien compris ?

La mère d'Eliott et le père de Julie ont distribué les tickets de métro. Puis, deux par deux, on est sortis du collège et on s'est dirigés vers la bouche du métro.

– Quatre adultes pour trente enfants, ça fait

à peu près combien d'enfants par adulte? s'est inquiétée la prof d'histoire-géo en s'adressant à maman.

Ma mère a sorti son portable et a annoncé d'une voix claire:

– Sept enfants et demi, madame.

La prof s'est essuyé le front comme si elle avait chaud alors qu'on est quand même en hiver.

Dans le métro, tout s'est très bien passé: on n'a pas été dérangés par des voyageurs bruyants. Quand on est arrivés dans la rame, tout le monde en est sorti aussitôt.

–Tu te rends compte, Lulu? m'a fait remarquer Julie en montrant nos parents. Ils sont bizarres, non? Ils sèchent le bureau pour venir au collège.

La conférencière nous attendait dans le hall du musée et nous a distribué le fameux questionnaire annoncé par la prof.

Le bâtiment est gigantesque, le sol est tout lisse, je suis sûre qu'on doit pouvoir s'amuser à glisser dessus. Dans l'entrée du musée, il y avait déjà cinq maquettes de bateau.

Maman et la mère d'Eliott se tenaient un peu en retrait. Le père de Julie est allé déposer son manteau au vestiaire. Quand il est revenu, on n'en a pas cru nos yeux: il était en uniforme de marin, avec une casquette et une veste à galons.

– Il est pas un peu loufoque, ton père? j'ai murmuré.

– Et encore, t'as rien vu, a soupiré Julie. Il avait préparé ses jumelles et sa boussole. Heureusement, comme on était en retard, il a tout oublié à la maison.

La prof écoutait la conférencière qui nous avait regroupés autour d'elle et nous racontait l'histoire du *Neptune*, l'un des navires de la Marine royale. C'est à ce moment-là que les copains ont commencé à se disperser discrètement dans le musée, et que moi j'ai réussi à oublier maman.

Elle se tenait en retrait et discutait à mi-voix avec les autres parents.

J'écoutais Pauline me décrire la robe que sa grand-mère lui avait achetée le samedi précédent.

– Elle est jaune, avec une pointe d'orange et

un cœur bleu dessiné. Elle a des manches longues mais pas trop, elle est assez courte mais pas trop. Avec mes chaussures vertes, je vais être irrésistible.

– Oui, sûrement. Mais là, telle que tu me la décris, ta robe, on dirait un arc-en-ciel qui rentre d'une soirée !

La conférencière avançait dans le musée en continuant à parler, sans même s'apercevoir qu'on n'était plus très nombreux à la suivre.

À un moment, Simon s'est emparé d'une rame qui était exposée et a fait mine de s'en servir en chantant :

– *J'ai pas tué, j'ai pas volé, mais je suis aux galères...*

Puis Clarisse a collé son téléphone portable dans la main d'un mannequin qui représentait le roi et Aurélien courait partout en criant : « À l'abordage ! »

Seul le père de Julie avait l'air fasciné par ce qu'il voyait. Dans son uniforme de capitaine, il se promenait seul entre les bateaux.

Moi, j'essayais d'écouter parce que je n'aime pas avoir de mauvaises notes et que j'avais très envie qu'on puisse faire d'autres sorties au musée avec les copains.

Mais il faut reconnaître que rien ne ressemble plus à une maquette de bateau qu'une autre maquette de bateau, et j'avais du mal à ne pas

regarder Benjamin qui faisait mine d'escalader la reproduction de la galère du roi. Il est lou-foque, lui !

– Ici, vous pouvez observer quelques ins-truments de navigation anciens, continuait la conférencière. On appelle celui-ci « l'astrolabe » et celui-là « le quart-de-cercle ». Ici, vous avez…

Elle avait l'air de plus en plus fatiguée et c'est à peine si on entendait la fin de ses phrases.

J'observais maman du coin de l'œil, elle dis-cutait avec la mère d'Eliott. Elles avaient l'air drôlement intéressées par les photos qu'elles se montraient sur leur téléphone. On aurait dit les Lines et moi à l'école primaire.

La prof d'histoire-géo a tapé dans ses mains pour nous rassembler.

– Les enfants ! On se recentre, on se concentre !

Maman nous a rejointes et Aline lui a fait un compliment sur la couleur de ses baskets. Elle en a rosi de plaisir et s'est concentrée cette fois, mais sur ses chaussures.

– J'adore votre sac, madame ! lui a dit Coline.

– Vraiment ? Oh, tu sais, c'est un vieux truc !

C'est alors que j'ai rappelé les copains à l'ordre :

– Hé ! On ne pourra jamais remplir le questionnaire si on n'écoute rien !

Et on a slalomé entre les sculptures navales pour retrouver la conférencière qui avait disparu.

Elle n'était pas dans la première salle, ni dans la deuxième. Finalement, c'est Eliott qui a gagné.

– Je l'ai trouvée !

Elle était assise par terre, devant un gigantesque scaphandre tout rouillé auquel elle s'adressait comme si c'était un humain :

– Alors, comme je te le disais, le quart-de-cercle permet de mesurer la hauteur d'un objet lointain...

C'était déjà la fin de la visite.

La prof d'histoire-géo a crié encore une fois pour rassembler tout le monde et un gardien a surgi en courant.

– Vous êtes dans un musée, madame, pas dans un hall de gare. Les œuvres d'art ont besoin de calme !

Finalement, on s'est tous retrouvés devant la boutique du musée où le père de Julie s'achetait une maquette. La conférencière, un peu pâle, nous a rejoints.

– Alors, les enfants, vous avez pu remplir le questionnaire ?

On s'est tous regardés. On avait si peu écouté

que personne n'était allé au-delà de la première question. La mauvaise note était assurée, on vivait notre dernière sortie de l'année.

C'est à ce moment-là qu'on a entendu un tout petit sifflement.

Maman était cachée derrière le buste d'un amiral de la flotte russe et nous faisait discrètement signe d'approcher.

On s'est tous rassemblés autour d'elle. Elle était au téléphone.

– ... Et la date de création de la marine militaire ? D'accord. Et l'origine du mot « matelot » ? Parfait. Merci, Roger. Je vous revaudrai ça. À bientôt.

Puis elle a raccroché et s'est tournée vers nous.

– Bon, les enfants, passons aux choses sérieuses. Prenez vos questionnaires et écoutez-moi.

Et elle nous a donné toutes les réponses, de la première question à la dernière !

On a rendu les questionnaires à la prof qui était en train de réconforter la conférencière.

On est ressortis du musée tout heureux ; non seulement on avait échappé au zéro mais, en plus, grâce à maman, on avait appris plein de choses passionnantes.

Quand je suis rentrée à la maison en fin d'après-midi, je me suis précipitée dans la chambre de maman.

– Il faut que tu m'expliques ! C'est qui Roger ? Comment tu as eu toutes les réponses ?

– Ah ! Roger, c'est un de mes anciens clients qui m'aime bien, un spécialiste de l'évasion. Il a été condamné parce qu'il revendait sous le manteau des instruments de marine anciens.

– Il devait être drôlement large, son manteau, pour planquer tout ça dessous ! n'a pu s'empêcher de faire remarquer Victor.

– Tu sais, ma Lulu, a ajouté maman, j'ai décidé de vous accompagner dès que j'en aurai la possibilité. J'ai trouvé formidable de te voir vivre au milieu de tes amis.

– Et moi, je me joindrais volontiers à vous, a ajouté Georges qui rentrait tout juste du bureau.

J'ai immédiatement pensé au proverbe que nous aurait dégoté Scarlett si elle avait été là: *Un malheur n'arrive jamais seul*, et j'ai filé dans ma chambre jusqu'au dîner.

En tout cas, le lendemain, la prof d'histoire-géo nous a félicités, elle était très contente de la façon dont on avait rempli notre questionnaire. Toutes les notes étaient excellentes!

J'ai plié le mien pour en faire un joli voilier, sur la coque duquel j'ai écrit: «Merci Roger.» Et tous les copains en ont fait autant.

Je les donnerai à maman pour qu'elle les lui envoie. Ça lui fera une sacrée flotte pour sa prochaine évasion!

Le devoir de maths

Pour lundi, j'ai un devoir de maths à rendre et je compte sur Georges pour m'aider.

D'abord parce que ça lui fait plaisir, il adore les maths et les sciences en général. Ensuite, parce que ça me dépanne. Je suis plutôt bonne en français et moins douée en maths.

Un jour, à ce propos, Scarlett, ma grand-mère, a dit :

– *Chacun son métier et les vaches seront bien gardées.*

Je ne vois toujours pas le rapport avec les vaches. Mais ma grand-mère a un proverbe adapté à chaque situation. Je ne les comprends pas souvent, mais j'ai pris l'habitude de hocher la tête d'un air savant pour que, surtout, elle ne commence pas à me les expliquer.

Ce jour-là, mon beau-père, très pédagogue, me demande :

– Lulu, tu es sûre que tu as compris les exercices que tu as à faire ?

– Mais oui, Georges. Enfin, tu me connais !

– Justement.

Georges semble rassuré mais je sais qu'il est surtout impatient de s'attaquer à la résolution de mes problèmes !

Il s'installe à sa table de travail dans son bureau, taille son crayon à papier, aligne sa règle et son équerre, vérifie que la pointe de son compas est suffisamment précise et me dit :

– Bon, ne traîne pas dans mes pattes, Lulu, j'ai du travail, moi !

Comme on est samedi, maman et Victor sont sortis et je m'ennuie. Alors, je m'installe avec Georges, dans son bureau. Je prends un livre sur les avions dans sa bibliothèque, et je regarde les images. C'est une pièce que j'aime

bien. C'est calme et le canapé est confortable. Ses lunettes sur le bout du nez, Georges lit à mi-voix l'énoncé des exercices et les commente les uns après les autres.

– Facile ! Simplet ! Enfantin !

– Bon, je dis, t'es trop fort.

– Attends… Le dernier problème est plus compliqué.

– Ah oui ?

– Écoute : « Une mouche effectue environ deux cent cinquante battements d'ailes pour parcourir cent mètres. Combien de battements d'ailes lui seront nécessaires pour faire un kilomètre ? »

– Il doit y avoir une histoire de multiplication, non ?

– Oui, bien sûr ! Mais tu comprends, je ne supporte pas l'approximation de ces énoncés. De quelle mouche nous parle-t-on ? De la mouche bleue ? De la mouche de vinaigre ? De la mouche des sables ?

Tout en parlant, il s'est collé son crayon au coin de la bouche et essaie de l'allumer avec la gomme. Il faut dire que Georges a arrêté de fumer il y a quelques mois, et que ça n'a pas l'air facile.

– C'est important de savoir de quelle mouche il s'agit ? je demande.

– Lulu, il faut que tu me laisses me concentrer, s'impatiente Georges. Pourquoi tu n'irais pas au cinéma avec les Lines ?

– Si tu me le demandes comme un service… Tu sais que je ne peux rien te refuser !

– C'est ça, c'est ça, à tout à l'heure.

Je téléphone donc immédiatement aux Lines, en commençant par Coline.

– Un ciné, ça te dirait ? j'ai demandé.

– Génial ! J'appelle Aline.

– Et moi Pauline !

Maman me laisse aller seule au cinéma depuis le début de l'année. Elle comprend enfin que je suis grande. Elle aura mis le temps. Heureusement, il lui reste mon petit frère Victor à couver, mais il ne va pas se laisser faire long-temps.

Dans mon sac à dos, je glisse mon téléphone, mon porte-monnaie, je prends mes clefs et je sors.

Au téléphone, avec les Lines, on a décidé d'al-ler voir un film romantique. Un de ceux où les deux personnages qui tombent amoureux à la fin se détestaient totalement au début.

Mais quand j'arrive devant le cinéma, il n'y a que Pauline et Coline.

– Aline ne viendra pas, m'annonce cette dernière. Elle est coincée chez elle à cause du devoir de maths.

– Dommage, on lui racontera !

J'ai une pensée pour mon beau-père, coincé à son bureau lui aussi. Avant de m'engouffrer dans la salle pour ne pas rater les bandes-annonces, je décide que je lui ferai son gâteau préféré pour le dîner.

J'ai promis à Georges qu'après le cinéma je rentrerais directement à la maison. Moi, je tiens toujours mes promesses. La séance terminée, avant de regarder les vitrines et d'essayer des baskets qui clignotent quand on tape du pied, on mange une glace toutes

les trois, assises sur un banc au soleil dans le jardin public face au collège.

– T'as aimé le film ?

– Un peu. Et toi, Lulu ?

– Oui, mais moins que celui de la dernière fois, quand l'extraterrestre épouse un dauphin.

Pauline alterne une bouchée de glace et un bonbon. Et Coline n'a pas compris si, finalement, l'héroïne est vraiment tombée amoureuse du garçon.

– Moi, plus tard, dit Pauline, je me marierai avec un garçon très brillant pour qu'il me fasse mes devoirs de maths.

– T'es loufoque ou quoi ? je rigole. Quand tu auras l'âge de te marier, tu n'auras plus de devoirs à faire.

– Pas faux, admet Coline.

Et chacune rentre chez soi.

– C'est toi, Lulu ? demande Georges quand je tourne la clef dans la porte.

– Oui !

– Déjà ?

J'ai bien fait de ne pas me presser finalement.
Victor et maman ne sont pas encore rentrés et
Georges n'a pas vu le temps passer.

– Viens voir !

Dans son bureau, il y a des feuilles étalées
partout. Georges a ses lunettes relevées sur le
front, ce qui donne l'impression qu'il a quatre
yeux au lieu de deux.

– Dis donc, il soupire, c'est sacrément compliqué ce que vous faites au collège.

– Tu trouves ?

– Un vrai casse-tête !

Heureusement que Scarlett m'apporte les volumes de son encyclopédie consacrés aux diptères.

– Aux *quoi*?

Georges lève les yeux au ciel.

– Aux mouches, Lulu! Comment veux-tu que je m'en sorte si tu me déranges tout le temps?

Je ne sais quoi répondre à Georges qui est dans tous ses états à cause de cette histoire de mouche, alors je monte jouer avec ma tortue.

Je la trouve endormie, la tête et les pattes rentrées dans sa carapace.

– Tu en as de la chance, Madonna! Toi, les mouches, ce n'est pas ton problème.

Au même moment, on sonne à la porte. Alors que je descends en courant pour ouvrir, je vois Scarlett traverser le salon avec trois gros livres sous le bras.

– Bonjour, Scarlett! Mais pourquoi tu sonnes puisque tu as les clefs?

– Ah, ma Lulu! C'est le secret d'une douce entente avec son gendre: je sais que je rentre comme je veux, mais je fais comme si ça me gênait. N'oublie jamais qu'*une bonne éducation*

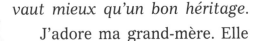

vaut mieux qu'un bon héritage. J'adore ma grand-mère. Elle est à la fois loufoque et solide. Ses encyclopédies ont l'air plus lourdes qu'elle quand elle entre triomphalement dans le bureau.

Je m'apprête à la suivre mais Georges m'arrête net :

– Va jouer dans ta chambre, Lucrèce. C'est sérieux là, on travaille !

– Mais c'est mon devoir à moi !

J'ai beau protester, rien à faire. J'ai presque l'impression qu'on me confisque mon devoir de maths.

Je téléphone à Aline pour lui demander comment elle s'en sort. Mais elle est sur messagerie, alors je décide d'aller faire un quatre-quarts pour Georges.

Je lui dois bien ça, après tout. Ce n'est pas une recette très compliquée, il suffit de ne pas se tromper en calculant les proportions.

Je mets le gâteau dans le four quand Victor et maman arrivent. Enfin! Je commençais à trouver le temps long.

– Alors, les pandas? je demande à Victor.

– Tu parles! Maman s'est trompée. Les pandas, ils sont dans un autre zoo, très loin. Il faut prendre le train pour y aller.

– Et donc, qu'est-ce que vous avez fait?

– Maman m'a emmené voir un dessin animé. Finalement, c'était beaucoup mieux parce que c'était quand même l'histoire d'un panda. Et en plus, j'ai eu des pop-corn. Scarlett est là? Je sens son parfum.

– Oui. Avec Georges. Dans son bureau.

Aucun bruit ne filtre à travers la porte. Victor passe la tête et revient penaud.

– Je ne sais pas ce qu'ils fabriquent, mais ils ont l'air très occupés.

Je commence vraiment à trouver qu'il met beaucoup de temps. Ça me paraît loufoque de consacrer tout un après-midi à un simple devoir de maths. Je remonte dans ma chambre et, exceptionnellement, j'autorise Victor à entrer;

il veut présenter l'ours en peluche que maman lui a acheté à Madonna qui vient de se réveiller.

Alors que je cherche pendant ce temps-là sur Internet les baskets qui clignotent, un cri me fait sursauter.

C'est Victor qui fait faire par sa peluche une prise de kung-fu à ma tortue.

– Arrête ça tout de suite! T'es pas un peu fou?

Heureusement, Madonna n'a pas l'air traumatisée. Elle continue à grignoter son trèfle, indifférente aux agressions.

– Lulu! Victor! Venez dîner.

Maman nous appelle juste à temps avant que la démonstration de kung-fu ne dégénère en un combat sans pitié entre Victor et moi.

Scarlett sort du bureau de Georges en se tenant la tête.

– J'ai besoin d'un remontant, les enfants. Quelque chose de fort !

Georges apparaît à son tour, un tas de feuilles à la main. Il a l'air épuisé mais triomphant.

– Tu restes dîner avec nous ? demande maman à Scarlett.

– Oh ! tu sais, ma chérie, je ne veux pas vous encombrer, répond-elle en se laissant tomber sur une chaise. Qu'as-tu préparé de bon ?

– Victor ! crie maman. Mets une assiette pour ta grand-mère !

Georges a l'air d'un savant fou exténué par une nuit de recherches.

C'est tout juste si j'ose lui demander timidement :

– Alors, ce problème... Tu l'as résolu ?

Il me montre le tas de feuilles recouvertes de calculs.

– On y est. Je l'ai eue, la mouche !

– Oui, enfin, je vous rappelle que, sans mon aide, vous ne vous en sortiez pas du tout, fait remarquer Scarlett en se servant une large portion de gratin.

– J'admets que vos différents ouvrages m'ont été très utiles, dit Georges en s'emparant du plat comme si les mouches lui avaient pris toute son énergie.

Ils commencent vraiment à m'énerver à parler entre eux sans m'expliquer comment résoudre le problème.

– Bon, c'est bien beau tout ça, j'interviens, mais alors, la mouche, combien de fois elle bat des ailes pour faire un kilomètre ?

– Oh ! mais ce n'est pas si simple, se récrie Georges. Mon expérience d'aiguilleur du ciel m'aura été bien utile ici. J'ai réussi à calculer la vitesse moyenne d'un battement d'ailes d'une mouche qui serait représentative de l'espèce. Mais comme tout dépend du climat et de la nature du sol qu'elle survole, j'ai encore quelques opérations complexes à faire.

Je ne réponds pas, mais Georges m'a l'air de compliquer un peu les choses. Je regarde maman qui observe le gratin, l'air très fatiguée subitement.

– Vous êtes bien silencieux tout à coup, mes chéris, rigole Scarlett. Qu'est-ce qui vous arrive ? On entendrait presque une mouche voler !

– *Eurêka* ! s'exclame Georges en se levant brusquement de sa chaise. Le son ! Voilà le dernier critère à prendre en compte pour résoudre ton problème, Lulu !

– Le son ?

– Mais oui ! S'il y a des objets autour de la mouche qui vole, le son produit par ses ailes se

141

heurte à ce qui l'entoure, et ça ralentit son vol. C'est limpide ! Heureusement que j'ai encore toute la journée de demain pour terminer ton problème !

Exaspérée par les explications incompréhensibles de Georges, je vais découper le gâteau que je lui ai confectionné pour le remercier de son aide. Mais la prochaine fois, avant de penser à la récompense, j'attendrai d'avoir la solution.

– Un vrai délice, ma Lulu, me félicite Scarlett. C'est tellement bon que tu aurais pu en faire un dix fois plus gros.

– Tu n'exagères pas un peu ?

– Pas du tout. Pour les proportions, ce n'est pas compliqué, ma chérie, tu multiplies tout par dix.

Cette fois, j'explose.

– Je sais, Scarlett. Pour qui tu me prends, à la fin ? C'est comme l'histoire de la mouche. Il n'y a qu'à multiplier par dix le nombre de battements d'ailes, puisqu'un kilomètre c'est dix fois cent mètres. La mouche bat donc deux mille cinq cents fois des ailes pour faire un kilomètre.

C'est pas sorcier, pourtant! Qui reprendra du gâteau?

Georges m'a regardée, a ouvert la bouche et l'a refermée sans qu'aucun son ne sorte, puis il s'est servi une autre part de gâteau.

Il avait l'air un peu contrarié.

– Réduire ce problème passionnant à une simple multiplication! il a ronchonné. Décidément, le degré d'exigence baisse! Dans ces conditions, la prochaine fois, Lulu, tu te débrouilleras toute seule!

C'est fou, quand même, cette famille où tout le monde prend la mouche!

La séance de Victor

Hier soir, pendant le dîner, maman et Georges avaient l'air préoccupés. En général, tout le monde parle en même temps, personne n'écoute personne et c'est assez joyeux. Mais là, rien.

Quand on est sortis de table, je me suis approchée de maman qui était assise dans le canapé du salon, les yeux dans le vide.

– Ça va, maman ?

– Mais oui, ma chérie, bien sûr, a-t-elle répondu d'une petite voix.

Georges était assis dans son fauteuil préféré, ses mots croisés à la main, mais au lieu de se concentrer sur sa grille, il regardait son crayon.

– Et toi, Georges, ta journée ? j'ai demandé.

– Tout va bien, ma Lulu, merci.

Mais le plus étonnant, c'était Victor.

En général, mon petit frère fait des remarques pour tout et surtout pour rien, commente le dîner et finit par annoncer que, quand il sera grand, il n'engagera pas maman pour faire la cuisine, ce qui fait sourire tout le monde.

Mais là, Victor était muet comme une carpe.

On aurait presque entendu Madonna mâcher son trèfle deux étages au-dessus.

– Tu débarrasses, Lulu ? Je suis fatiguée.

Là, on revenait à une situation normale : maman m'exploite à mort.

Georges a filé dans son bureau, nous disant qu'il avait pris beaucoup de retard dans la lecture des journaux de ces derniers jours.

– T'es loufoque, j'ai dit à Georges. Si tu lis aujourd'hui les nouvelles d'avant-hier et demain celles d'hier, quand tu liras celles d'aujourd'hui, eh ben celles d'après-demain auront eu lieu hier.

Georges m'a regardée d'un drôle d'air qui ne m'a pas donné envie de poursuivre le raisonnement.

Je suis montée dans ma chambre vérifier si les Lines ne m'avaient pas appelée pendant le dîner. Maman est très ferme sur la question du téléphone à table. Enfin, de *mon* téléphone, parce qu'elle, elle répond systématiquement et, avec Victor, on l'imite drôlement bien quand elle parle à ses clients :

– Ne vous inquiétez pas ! Dix ans de prison, c'est vite passé. On se retourne et hop ! on repart d'un bon pied !

En général, quand on fait ça, elle rigole et dit :

– Promis ! Je ne répondrai plus pendant le dîner.

Allongée sur mon lit, j'ai entendu frapper à ma porte.

– Lulu ? Je peux entrer ?

C'était Victor. Donc, par principe, j'ai répondu un peu fort :

– Même pas en rêve.

– Merci, a dit Victor en ouvrant la porte.

Il avait l'air bizarre. Il s'est assis sur mon lit et caressait les longues oreilles de Casserole qu'il tenait dans ses bras.

Mon petit frère m'énerve, mais je n'aime pas quand il est trop calme.

– Ça va, Victor ?

– Pas trop, Lulu, pas trop.

Je me suis redressée, me suis assise à côté
de lui et lui ai ébouriffé les cheveux. En général,
ce geste l'agace et il rugit aussitôt. Mais là, il n'a
pas bougé. Je me suis inquiétée.

– Qu'est-ce qui ne va pas ?

– C'est papa et maman. Ils veulent m'envoyer
voir quelqu'un, a murmuré Victor d'une toute
petite voix. Pour parler.

– C'est une bonne idée, ça ! Du coup, tu par-
leras moins à la maison, et je serai enfin tranquille, j'ai répondu en rigolant.

Victor a repris son lapin qui s'était attaqué à
la salade de Madonna et il est sorti sans un mot
en claquant la porte.

Le lendemain, alors que maman buvait son
café et que je versais mes céréales dans un bol,
j'ai demandé :

– Qu'est-ce que c'est que cette histoire avec
Victor ? Tu veux l'envoyer parler à quelqu'un ?
Mais à qui ?

Maman s'est arrêtée net de boire son café et
m'a répondu :

– Écoute, Lulu, Georges et moi, on se fait du souci. On trouve que ton frère passe trop de temps sur sa console. Et je finis par me demander s'il fait vraiment la différence entre les images et la réalité.

À ce moment-là, quelque chose a claqué et maman a renversé sa tasse.

– Du calme, maman, c'est juste le volet qui est mal accroché.

– Tu crois ? elle a dit. Avec tous ces zombies qui rôdent, on n'est jamais tranquilles.

– Je ne suis pas sûre que ce soit Victor qui ait besoin d'un spécialiste, j'ai observé avant d'attraper mon sac.

Maman m'a retenue.

– Lucrèce, on a déjà pris rendez-vous avec la dame pour Victor. Et elle nous a dit que, pour l'aider le mieux possible, il faudrait que tu acceptes, toi aussi, d'aller la voir avec nous. Une fois ou deux. Trois, grand maximum.

Alors là, les bras m'en sont tombés.

– Mais je n'ai aucune envie d'aller parler à quelqu'un que je ne connais pas, moi! J'ai les Lines, j'ai Scarlett, et à l'extrême limite, je t'ai, toi. Même si, c'est vrai, tu n'es pas toujours disponible.

Là, c'est devenu sérieux parce que maman a fondu en larmes. Et s'il y a une chose que je ne supporte pas, c'est de voir maman pleurer. J'ai l'impression que c'est pire que si toutes les forêts du monde brûlaient.

Je l'ai prise dans mes bras et je l'ai rassurée.

– Ne te mets pas dans cet

état-là! D'accord. J'irai parler à qui tu veux... du moment que tu augmentes mon argent de poche.

Maman a souri de son plus joli sourire, celui auquel personne ne peut résister.

– Je savais que je pouvais compter sur toi, Lulu! elle a dit en se séchant les yeux. Je viendrai donc te chercher au collège, juste après les cours.

J'ai quand même passé une drôle de journée. Je ne voyais pas bien ce qu'elle voulait dire avec son histoire de réalité et d'images. Ça ne me paraît pourtant pas compliqué de les différencier: ce qui est réel, c'est ce qu'on touche, et ce qui ne l'est pas, c'est ce qui nous touche. Non?

Maman m'attendait avec Georges devant le collège.

À peine sortie, j'ai sauté dans la voiture et j'ai mis les choses au point:

– Maman! Combien de fois je t'ai dit de ne pas m'attendre ici? C'est simple, pourtant! Tu fais cent mètres, ou un peu plus, tu te gares dans un endroit sombre, je fais comme si je ne

te connaissais pas, je reviens sur mes pas et, quand il n'y a plus personne pour me voir, je monte dans la voiture.

– Bon, Lulu, je crois qu'on a compris le stratagème, a dit Georges, un peu énervé.

On est allés récupérer Victor qui goûtait tranquillement en jouant au ballon avec Pedro, son meilleur copain, devant son école.

Une petite demi-heure plus tard, maman se garait devant un joli immeuble. Elle a composé un code qu'elle semblait connaître par cœur, puis a sonné à l'interphone. L'appartement était situé au rez-de-chaussée, la porte s'est ouverte seule et on est entrés tous les quatre dans une pièce qui donnait sur un jardin.

Sur la table basse, il y avait aussi bien des magazines avec des photos de plats cuisinés en couverture que des Lego de toutes les couleurs.

Victor n'en menait pas large. Il ne disait rien et a même feuilleté un magazine. Moi, je soupirais parce que, quitte à perdre du temps, j'aurais préféré discuter avec les Lines. Et puis, je n'aime pas ne pas savoir exactement ce qui m'attend. Maman consultait ses mails sur son portable et Georges lisait une recette de cuisine.

Une dame est entrée et a dit :

– À nous !

Son bureau était assez étroit. Elle avait disposé quatre chaises face à son fauteuil.

Elle devait être plus jeune que maman, mais elle paraissait plus vieille. Elle avait une jupe

un peu longue et un chemisier avec un nœud devant.

– Bon, elle a dit en s'adressant à Victor, toi tu es Victor et tu es en CE2, c'est ça ?

– Non, a-t-il répondu. Moi, je suis Superman et je sauve le monde.

Maman a ouvert la bouche avant de la refermer en agitant ses mains comme deux éventails.

– Vous vouliez dire quelque chose ? a demandé la dame en vérifiant que le nœud de son chemisier était bien droit.

– Voilà, a articulé maman, nous trouvons, mon mari et moi, que Victor passe beaucoup trop de temps devant son écran, et nous nous demandons si ce n'est pas mauvais pour son développement intellectuel.

Moi, je n'avais encore rien dit, mais j'avais bien compris que Victor plaisantait. Je le connais, mon petit frère : l'air de rien, il dit des trucs juste pour faire rigoler les adultes.

Maman, Georges et moi, on est habitués.

La dame s'est tournée vers moi.

– Et toi, tu es Lucrèce, la grande sœur de Victor ?

– Oui, j'ai répondu.

– Tu penses que ta présence peut être utile à ton frère ? m'a questionnée la dame.

– À Victor, je ne sais pas, mais à ma mère et mon beau-père, sûrement.

Georges a eu l'air surpris et maman a simultanément bougé les mains et ouvert la bouche.

– Pourquoi dis-tu ça, Lucrèce ? m'a demandé la dame d'une voix gentille.

Je me suis redressée sur ma chaise, j'ai pris ma respiration et j'ai dit :

– Parce qu'ils ne se rendent pas forcément compte que Victor ne passe pas plus de temps que ses copains sur sa console ! À leur époque, pour avoir des sensations, il fallait tourner les pages d'un livre. Disons que Victor, il tourne le bouton de sa manette !

Victor a levé son pouce pour dire qu'il était d'accord avec moi.

La dame m'a alors demandé si, moi aussi, je jouais à des jeux sur écran. J'ai rigolé.

– Bien sûr que non. En dehors de mon téléphone, de ma tablette, de l'ordinateur dans le bureau de maman et de la télé du salon, je suis très raisonnable.

– Très bien, a dit la dame en se levant.

Elle a défroissé sa jupe et a ajouté :

– Victor, si tu en ressens le besoin, nous pouvons nous revoir le mois prochain.

– Le mois prochain, ça va être compliqué, a-t-il prévenu.

– Et pourquoi donc ? a demandé la dame d'une voix moins gentille.

– Parce qu'en ce moment, j'arbitre un combat

entre morts-vivants et une équipe de squelettes que je dois ravitailler en gagnant des points qui me permettent d'acheter des zombies. Mais là où ça se complique, c'est que j'ai un de mes squelettes qui est intolérant aux zombies. Je dois donc lui gagner des larves de fantômes, sinon, il n'a pas assez d'énergie et...

– D'accord. Je vois, l'a interrompu la dame.

Et, s'adressant à Georges et à maman, elle a ajouté :

– Je crois que Victor est parfaitement équilibré et qu'il a compris qu'il pouvait faire marcher ses parents à la vitesse d'un mort-vivant qui cherche à rattraper un zombie.

Maman regardait Georges qui observait la dame qui fixait Victor d'un air un peu sévère.

Moi, j'espérais que ce rendez-vous avait rassuré nos parents. C'est drôlement inquiet, les adultes, quand on y pense.

– Mais si cela peut vous tranquilliser, a dit la dame en nous raccompagnant, faisons un point à la fin de l'année scolaire.

– Attention ! a crié Victor.

– Attention à quoi ? a demandé la dame en sursautant.

– Là, derrière vous ! Un squelette affamé !

Elle s'est retournée d'un bond et à deux doigts de renverser le vase de tulipes posé sur son bureau.

– Tu as failli m'avoir, elle a soupiré en portant sa main à son cœur.

– Pas moi, eux, a corrigé Victor avant de l'aider à remettre les tulipes en place. Ils sont dangereux quand ils ont faim, vous savez. Ils sortent avant l'heure et ingurgitent tout ce qui leur tombe sous les os.

159

Dans la voiture, maman nous a demandé ce qu'on avait pensé de cette séance.

– Ah bon, a rigolé Victor, on était au cinéma ? Ça manquait d'effets spéciaux !

Je suis montée dans ma chambre pour faire enfin mes devoirs et donner de l'eau et des fraises à Madonna.

Pendant le dîner, j'ai demandé à maman et à Georges s'ils étaient rassurés sur l'état de Victor.

– Complètement rassurés, ma Lulu, m'a répondu maman.

Le repas était très réussi, Georges s'était inspiré d'une recette qu'il avait lue dans la salle d'attente de la dame.

Alors qu'on avait à peine terminé le dessert, maman s'est levée de table.

– Tu viens avec moi, Georges chéri. Il faut que tu m'aides à tirer un meuble. Je vais débrancher la prise de la télé. Ça devrait régler tous les conflits entre les morts-vivants et les squelettes... Et puis, ça va soulager Victor, il n'aura plus à penser aux différentes allergies alimentaires de toutes ces créatures.

– Tu rigoles, j'espère ? a glapi Victor qui, lui, ne rigolait pas du tout.

– Mais non. Et comme tu as du temps maintenant, débarrasse donc la table, Superman. Tu iras sauver le monde quand tout sera rangé.

Et Georges et maman sont sortis de la cuisine en riant.

Ils sont loufoques, nos parents !

Mais, comme dirait Scarlett, *tel est pris qui croyait prendre* !

Le tableau

Aujourd'hui, c'est papa qui nous garde, parce que Georges et maman partent rendre visite à une vieille cousine qui n'aime pas les enfants.

En général, quand ils s'en vont, ils nous laissent avec Scarlett. Mais ce samedi, ma grand-mère participe à un tournoi de poker.

Je ne vois pas très souvent papa. Maman et lui se sont séparés quand j'étais toute petite. Mais c'est mon père et je l'aime beaucoup.

C'est vrai que c'est plus un copain qu'un papa. Il est loufoque et maman dit souvent : « C'est un artiste merveilleux, mais il n'a aucun sens de la réalité ! »

Papa peint des tableaux très très grands et colorés, en général ils représentent des taches qui flottent. Il sculpte aussi, parfois de la terre, parfois de la pierre.

Aujourd'hui, au lieu de sa voiture habituelle, il est arrivé à la maison dans une camionnette.

– C'est que j'ai besoin de place pour mes sculptures, il m'a expliqué.

– Elles représentent quoi, tes sculptures ? j'ai demandé parce que je sais que papa aime bien parler de ce qu'il fait.

– Eh bien... Tu vois, Lulu, c'est compliqué de répondre à cette question. Elles représentent le temps qui passe, l'eau qui coule, le vent qui souffle...

Moi, je sais que papa a beaucoup de talent, mais qu'il préfère ne pas vendre ce qu'il peint ou ce qu'il sculpte.

– Tu comprends, Lulu, il m'explique souvent, me séparer d'une de mes œuvres, c'est comme si je me coupais un bras.

– Arrête avec tes histoires de bras, rugit toujours maman dans ces cas-là. Moi, vu que chaque paire de baskets de ta fille me coûte un bras, je dois être une mutante parce que des bras, j'en ai toujours deux.

Sur le pas de la porte, maman nous a embrassés.

– À ce soir, mes chéris. Soyez sages. Et toi, Lulu, n'abuse pas de la situation, elle a ajouté en me regardant fixement.

Je sais pourquoi elle dit ça.

La dernière fois qu'elle nous a laissés avec papa, il avait transformé la cuisine en atelier

pour nous initier, Victor et moi, à la sculpture.
Il y avait de la terre partout, et maman prétend
qu'aujourd'hui encore elle en retrouve au fond
de ses casseroles.

Papa a serré la main de Georges et a embrassé
maman.

Leur voiture avait à peine démarré que Victor
a demandé à papa :

– Tu peux m'aider à rebrancher la télé ? La
prise est derrière le meuble. Et le câble dans la
chambre de mes parents, au-dessus de l'armoire.

– Ah bon ? s'est étonné papa. Il faudra que tu apprennes à ton père qu'il y a un bouton marche-arrêt pour éteindre la télé. C'est plus simple que de déplacer un meuble, de prendre un escabeau et…

Je l'ai interrompu. Victor m'agace vraiment quand il joue les victimes.

– Georges et maman trouvent que Victor passe trop de temps sur sa console. C'est pour ça qu'ils débranchent la télé, j'ai précisé.

Papa s'est gratté la tête.

– Écoute, Victor, je suis responsable de toi jusqu'à ce soir. On peut s'amuser sans écran !

Mon frère n'a rien osé dire mais j'ai vu à son air maussade que ce n'était pas comme ça qu'il voyait les choses.

J'adore papa. Mais souvent, quand il s'occupe de nous, c'est pour nous traîner dans des musées tout l'après-midi.

Je n'étais donc pas de très bonne humeur, mais je suis quand même allée l'aider à préparer le déjeuner.

J'ai trouvé la cuisine déserte. La table n'était

même pas mise et rien n'était en train de chauf-
fer.

– Papa? Papa! On a faim, nous! j'ai crié.

Il était dans le jardin, en train d'installer deux
chevalets et deux toiles.

– Ça tombe bien. Moi aussi, j'ai faim, ma Lulu,
a-t-il répondu en sortant sa palette et ses pin-
ceaux d'un grand sac.

– Mais enfin, papa, c'est toi qui dois t'occuper
de nous, pas l'inverse!

– Et que crois-tu que je fais, là tout de suite?
s'est-il écrié.

– Tu n'es pas en train de faire bouillir de l'eau
pour des spaghettis, en tout cas, j'ai rétorqué.

Il n'est vraiment pas organisé, papa. Je me préparais à ajouter que Victor et moi, on n'allait pas manger ses tubes de peinture en salade, quand on a sonné à la porte qui donne sur la rue.

– C'est qui ? a demandé Victor en déboulant dans le jardin.

– Les pizzas que j'ai commandées, a répondu papa.

– T'es le meilleur, j'ai lancé en applaudissant et en me précipitant pour ouvrir.

On n'a même pas mis la table. Comme il faisait bon dehors, on a déjeuné par terre, sur l'herbe. Mon frère était aux anges.

– Je comprends pourquoi t'es pas resté long-temps marié à maman! il a dit à papa avec un grand sourire plein de sauce tomate.

Papa a rigolé.

– Avec ta maman, j'ai fait l'essentiel : Lucrèce.

J'aime bien quand papa dit des trucs gentils comme ça.

– Maintenant que les troupes sont ravitaillées, il a ajouté, on va passer aux choses sérieuses. Allez mettre un tablier.

On a foncé à la cuisine, Victor et moi, et on a pris deux tabliers. Évidemment, Victor a exigé celui où il y a écrit : « Appelez-moi chef ! » Moi, j'ai mis celui que Georges a offert à maman. Il est bleu marine et on peut y lire : « Je suis la reine des tartes. »

On a rejoint papa dans le jardin, qui a rigolé en nous voyant.

– C'est le combat des chefs, ici !

Sur la petite table ronde en fer forgé, il avait installé deux palettes, deux verres pleins d'eau, deux carnets à spirale tout neufs et étalé ses tubes de peinture.

169

– On va faire une surprise à maman, nous a expliqué papa. Regardez. Vous avez chacun votre toile. Et si le résultat en vaut la peine, je ferai graver pour chacune un cartouche que je vous apporterai la prochaine fois.

– Pourquoi une cartouche? a répété Victor sans comprendre. C'est de la peinture au pistolet?

– Non. *Un* cartouche, a rectifié papa en rigolant. C'est la petite plaque qu'on met sous un tableau, avec le nom du peintre et, parfois, le titre du tableau.

«Il est drôlement cultivé, papa, j'ai pensé fièrement.»

– Sur vos carnets de croquis, vous dessinez ce que vous avez envie de peindre. C'est comme un cahier de brouillon. Je suis certain que le résultat va être magnifique. Maman sera très contente.

– T'es le meilleur! s'est exclamé Victor.

– Décidément, s'est amusé papa, il faudra que je dise à Georges que je fais l'unanimité dans cette maison! Maintenant, je vous laisse travailler.

Il s'est éloigné sans nous perdre de vue. Il a sorti de son sac son propre carnet de croquis. Il nous regardait très attentivement et dessinait. Levait les yeux et dessinait encore. Il était concentré et silencieux.

Moi, je me suis assise par terre, le carnet de croquis sur les genoux, et j'ai réfléchi.

Qu'est-ce que j'allais pouvoir dessiner? Pas facile de décider. Il y a tellement de choses que j'adore.

Au bout d'une heure, papa s'est avancé vers nous.

– Alors, les artistes? Comment ça se passe? Mais il n'y a rien encore sur vos toiles!

– Moi je suis un peu intimidée par ce blanc, j'ai dit. Ça m'avait fait la même chose pour mon journal intime. Je ne voudrais pas gâcher.

– Moi j'ai trop d'idées, a dit Victor. Je ne sais pas laquelle choisir.

Papa nous a alors expliqué qu'il ne fallait pas qu'on soit impressionnés par la toile.

– Laissez-vous aller. C'est l'inverse d'un devoir à l'école: ne réfléchissez surtout pas!

Victor et moi, on s'est regardés, un peu perdus.

Mon frère a alors tenté sa chance :

– Tu veux pas qu'on fasse plutôt une partie de Vampire contre la planète rouge ?

Papa ne s'est pas laissé avoir.

– Non, non, Victor. Peins ! Regarde, c'est magique de mélanger les couleurs.

Alors, il a pris la palette et trois tubes de peinture. Il a déposé un peu de blanc, un peu de bleu, un peu de noir. Il a trempé le pinceau de

Victor dans l'eau et les a mélangés. Ses gestes étaient rapides et précis.

– Tu peux même inventer des couleurs. Tu sais, il y a autant de nuances de bleu que d'êtres humains sur la terre! Pour une première toile, on peut décider par exemple de peindre ce qui nous tient le plus à cœur, ce qui nous rend la vie heureuse.

C'est cette remarque qui m'a donné l'idée.

– Ça y est. Je sais ce que je vais peindre.

– Moi aussi! a ajouté mon frère! Moi aussi!

– Formidable, a dit papa. Appelez-moi quand vous aurez fini, d'accord?

Et il est retourné à son dessin.

– Et toi, tu dessines quoi? j'ai demandé à papa.

– Moi? Mystère! J'ai aussi mes secrets.

On avait chacun la palette dans la main gauche, et un pinceau dans la droite. Je ne pressais qu'un tout petit peu les tubes de peinture avant d'éclaircir les couleurs vives avec de l'eau.

La première fois que j'ai mis de la couleur sur

la toile, mon cœur battait fort. J'avais l'impression d'être une grande artiste. Petit à petit, mon tableau se révélait. C'était magique.

De temps en temps, Victor reculait pour voir l'effet que ça faisait. Il avait de la peinture plein le tablier. Moi, j'étais si concentrée sur ma toile que je n'ai pas vu l'après-midi passer.

À un moment, on s'est aperçus que c'était le soir parce qu'on ne distinguait plus vraiment les couleurs.

Ça tombait bien. J'avais fini, et Victor aussi. Alors on a enlevé nos toiles des chevalets et on les a transportées au salon en faisant bien attention parce que la peinture n'était pas sèche. Il n'était pas question de tout gâcher en laissant des marques de doigts.

On les a installées côte à côte sur la petite table recouverte de velours, là où maman expose toutes ses photos de famille.

L'effet était magnifique.

Papa s'est assis et a contemplé nos œuvres en silence.

– Alors ? on a demandé avec impatience. Qu'est-ce que tu en penses ?

– C'est très émouvant, a répondu papa. Vous avez la sincérité des vrais artistes.

À cet instant, on a entendu la porte d'entrée qui s'ouvrait.

– C'est nous ! ont lancé maman et Georges.

Victor et moi, on s'est précipités sur eux.

– Stop! on a crié. On vous a préparé une surprise avec papa. Alors, fermez les yeux. On
compte jusqu'à trois: un, deux, trois…

Georges a rouvert les yeux le premier et s'est
exclamé:

– Mais ils sont magnifiques, ces tableaux!

Victor a alors expliqué:

– Celui-là, c'est le mien. L'autre, c'est celui de
Lulu.

– Je m'en serais douté! a lancé Georges en
rigolant.

Maman s'est exclamée à son tour:

– Quelle bonne idée de vous avoir fait faire de
la peinture! Bravo, Victor, elle est magnifique,
ta télé, mon poussin. On arrive même à voir ce
qu'il y a sur l'écran! Un squelette avec un sabre,
c'est ça?

– Exactement! s'est rengorgé mon frère. J'ai
bien suivi la consigne.

Et Victor a imité papa en prenant une voix
grave:

– «Les enfants, vous allez peindre ce qui vous
rend le plus heureux au monde!»

Georges a éclaté de rire et maman a fait comme si elle n'était pas vexée.

Je la connais par cœur cette expression. Elle a la même quand je ne veux pas venir avec elle faire des courses.

– Et mon tableau ? j'ai demandé. Il te plaît ?

– Voyons voir ce qui te rend heureuse, a fait maman en chaussant ses lunettes. Dis donc, il y en a du monde sur cette toile !

– Oui ! j'ai dit, très fière. Regarde bien.

– C'est papa, tout en haut ? Et Scarlett à gauche ? Là, voilà Victor, et en gros plan, c'est toi. Tu as vu, Georges ? On est là, nous aussi ! Juste au-dessus des Lines ! Elles sont très

ressemblantes, ma Lulu. Et Madonna est particulièrement réussie. Bravo !

– Merci, j'ai dit. La toile n'était pas assez
grande, mais tout le monde est là. Tous ceux qui
me rendent heureuse.

C'est là que papa a eu l'idée du siècle.

– Lulu ! Je sais ce que je ferai graver sur le
cartouche ! Ce tableau-là, on va l'appeler *Le
Monde de Lucrèce*. Qu'est-ce que tu en penses ?

– Pas mal, j'ai dit. Oui, je crois que ça me plaît.

Et tout le monde a approuvé.

C'est loufoque comme titre, *Le Monde de
Lucrèce* !

Table

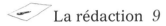

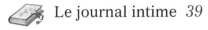

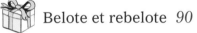
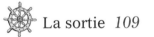

Remerciements

Merci à Blandine de Caunes
et Véronique Girard

Merci à Aymar du Chatenet
et José-Louis Bocquet

Merci à Hedwige Pasquet, Thierry Laroche,
Jean-Philippe Arrou-Vignod,
Laurence Victor-Pujebet, Jean-François Saada,
aux équipes des éditions Gallimard Jeunesse
et de l'agence Intertalent

Retrouvez Lucrèce
dans de nouvelles aventures

Volume 2

Extrait

" – Maman !

– Oui ma Lulu ?

– Tu sais ce qui me manque ?

– Parce qu'il te manque quelque chose ?

Ça, c'est maman. Elle s'imagine que, parce que j'ai une chambre à moi, une jolie maison, une tortue, des amis, un père et un beau-père que j'aime, une grand-mère envahissante mais géniale, un petit frère horripilant mais mignon, et une autre grand-mère qui ne me reconnaît jamais mais qui m'adore à chaque fois qu'elle me redécouvre, ça me suffit ! Les adultes pensent en énumérant.

– Oui ! Il me manque un instrument de musique ! j'ai répondu.

– Un instrument de musique ? a répété maman.

Je crois que j'ai déjà parlé de ce tic de maman qui, dès qu'elle a besoin de temps pour réfléchir à la réponse qu'elle va apporter à une question, répète les derniers mots de la question. Avec Victor, on l'imite et ça la fait rigoler. 🙶

Anne Goscinny

Le Bureau des solitudes, roman, Grasset, 2002

Le Voleur de mère, roman, Grasset, 2004

Le Père éternel, roman, Grasset, 2006

Le Banc des soupirs, roman, Grasset, 2011

Le Bruit des clefs, récit, Nil, 2012

Le Sommeil le plus doux, roman, Grasset, 2016

Sous tes baisers, roman, Grasset, 2017

Le Monde de Lucrèce, volumes 1, 2, 3 et 4, Gallimard Jeunesse, 2018-2019

Catel

POUR LA JEUNESSE

Top linotte, Fleurus presse et Dupuis, 2008-2018

Marion & Cie, avec Fanny Joly, Bayard Presse et Gallimard Jeunesse, 2000-2018

L'Encyclo des filles, avec Sonia Feertchack, Gründ, 2001-2017

Le Monde de Lucrèce, volumes 1, 2, 3 et 4, Gallimard Jeunesse, 2018-2019

La Princesse de Clèves, de Madame de La Fayette, avec Claire Bouilhac, Dargaud, 2019

POUR LES ADULTES

Kiki de Montparnasse, avec José-Louis Bocquet, Casterman, 2007

Olympe de Gouges, avec José-Louis Bocquet, Casterman, 2012

Quatuor, avec José-Louis Bocquet, Thierry Bellefroid, Jacques Gamblin et Pascal Quignard, Casterman, 2010

Ainsi soit Benoîte Groult, Grasset, 2013

Adieu Kharkov, avec Mylène Demongeot et Claire Bouilhac, Aire Libre, 2015

Joséphine Baker, avec José-Louis Bocquet, Casterman, 2016

Le Roman des Goscinny, Grasset, 2019

Mise en page : Françoise Pham
Loi n° 49-956 du 16 juillet 1949
sur les publications destinées à la jeunesse
ISBN : 978-2-07-509306-4
N° d'édition : 400631
Premier dépôt légal : mars 2018
Dépôt légal : juillet 2021
Imprimé en Espagne par Edelvives
Le papier de cet ouvrage est composé de fibres naturelles,
renouvelables, recyclables, et fabriquées à partir de bois
provenant de forêts gérées durablement.